MW00628237

LA MAGIA
DE UN REGALO
EXCEPCIONAL

El interés que despertaron en el público los anteriores libros de Roger Patrón Luján –los cuales han sido traducidos al inglés y al portugués– lo incitaron a preparar libros dedicados a la pareja y a los jóvenes, entre otros temas.
Este nuevo libro es la continuación de la trilogía Regalo Excepcional, un best seller único, por la acogida que le dio el público, porque llegó a satisfacer el deseo de encontrar en un libro el calor de la esperanza y el entusiasmo del ideal. Hoy, el autor te ofrece una nueva selección que con gran gusto y satisfacción ha rescatado de las bibliotecas, de los libros antiguos y modernos, de remotos lugares, nutridos aún más por la bondad de todas aquellas personas que se los han enviado. Quienes lo posean serán dueños del tesoro más grande que cualquier hombre pueda tener: una filosofía para vivir; y quienes lo reciban comprenderán el porqué de su título: *La Magia de un Regalo Excepcional.*
Consérvalo, cuídalo, léelo y reléelo; ponlo en práctica cuantas veces quieras pero, sobre todo, cuando sientas que te invade el desánimo o la tristeza, cuando supongas que ante ti se cierran todas las puertas, cuando experimentes el miedo de vivir..
Encuentra en él la llama de la esperanza y los nuevos amaneceres de las ilusiones.

SER MÁS *LIBRES*
HERIBERTO FRÍAS 1104 MÉXICO, D.F. 03100

LA MAGIA DE UN REGALO EXCEPCIONAL

Roger Patrón Luján

Compilador

Título de la obra: LA MAGIA DE UN REGALO EXCEPCIONAL.

Edición: Irene Fohri.
Diseño: Sylvia H. Gallegos.
Cuidado de la edición: Bertha Ruiz de la Concha.
Fotografía: Ana Lourdes Herrera.
Portada: Departamento Artístico de EDAMEX.

Ficha Bibliográfica:

Patrón Luján, Roger.
La magia de un regalo excepcional.
176 pág. de 17 x 23 cm.
Índice e ilustraciones.
20. Literatura 20.3 Ensayo
28. Superación Personal

ISBN-968-409-984-3

EDAMEX, Heriberto Frías 1104, Col. del Valle, México 03100.
Tels. 559-8588. Fax: 575-0555 y 575-7035.

Impreso y hecho en México con papel reciclado.
Printed and made in Mexico with recycled paper.

Miembro No. 40 de la Cámara Nacional de la Industria Editorial Mexicana.

Contenido

La amistad

Padres e hijos

El hombre y la mujer

La riqueza

La educación y la vida

El trabajo

Los mexicanos

La comunicación con Dios

La madurez

Agradecimientos

Alfredo, Armando, Arturo, Aurora, Bertha, Elsa, Ernesto, Federico, Gabriel, Irene, Ivette, Joaquín, Lourdes, Manuel, María, Mario, Maricruz, Octavio, Patricia, Pedro, Rafael, Raúl, Roger II, Santos, Sergio, Stefano, Sylvia, Víctor.

¡Gracias!

PREFACIO

El libro *La Magia de un Regalo Excepcional* surge al tener la oportunidad de presentar nuevos pensamientos de varios autores que han ayudado a muchas personas y que complementan los que se han publicado en *Regalo Excepcional I, II* y *III; Canto a la Vida I* y *II; Por favor vive plenamente* y *Celebración y Compromiso.* Además, este libro también aparece cuando mi obra antológica a llegado a muchos hogares tanto en México como en varios países del mundo.

Por medio de este prefacio invito a mis lectores a que envíen pensamientos que puedan enriquecer esta obra y fortalecer el diálogo en los hogares.

Una vez más, agradezco a mis amigos y conocidos por los pensamientos e ideas que me han seguido enviando para compartir con ustedes, lectores.

Roger Patrón Luján

Prólogo

Sólo es justo que se alabe
más que a aquel que mucho sabe
al que mucho supo hacer.

Miguel Moreno (1596-1655)
Novelista y poeta español

Justo es pues que se alabe el "mucho hacer" que este cuarto volumen, continuación de la trilogía *Regalo Excepcional,* representa en la obra incansable y constante de Roger Patrón Luján.

Para las cosas grandes y arduas se necesitan
combinación sosegada, voluntad decidida,
acción vigorosa, cabeza de hielo,
corazón de fuego y mano de hierro.

Jaime Balmes (1810-1848)
Sacerdote, filósofo y periodista español

Palabras éstas que describen las características que han acompañado su trabajo desde la concepción de su obra *Pensamientos* hace ya más de trece años.

Es tan vana la esperanza de que se llegará sin trabajo
y sin molestia a la posesión del saber y la experiencia,
cuya unión produce la sabiduría, como contar con una cosecha
donde no se ha sembrado ningún grano.

Benjamín Franklin (1706-1790)
Científico y tratadista norteamericano

Muchos granos ha sembrado para entregarnos los frutos de su incansable labor que por ahora remata en *La Magia de un Regalo Excepcional.*

Y digo "por ahora" porque estoy seguro de que no parará aquí. No sé si habrá un quinto libro. Lo que sí sé es que Roger no dejará de sembrar nuevas semillas que producirán frutos de saber y experiencia.

Toda cosa grande, majestuosa y bella en este mundo
nace y se forja en el interior del hombre,
gracias a una sola idea y a un solo sentimiento.

Todos los acontecimientos verdaderos y positivos
que nos legaron los siglos pasados fueron, antes de realizarse,
una idea oculta en la razón y en la mente de un hombre
o un sentimiento sutil en el corazón de una mujer.

Gibrán Jalil Gibrán (1883 -1931)
Escritor, pintor y poeta libanés

Con admirable paciencia y un espíritu de explorador, Roger ha ido descubriendo las ideas y los sentimientos de hombres y mujeres de todas las épocas, hasta lograr esta obra, que es la culminación de sus "*regalos excepcionales*".

Esperamos aún mucho. Hace algunos años escribí acerca de él:

> *Si se me preguntara qué ha sido lo verdaderamente importante de Roger, cuál ha sido la llave mágica de su éxito, diría que principalmente su optimismo, su profunda convicción de que toda dificultad puede resolverse si se trabaja con entusiasmo, con creatividad, con persistencia.*

Víctor Hernández Rodríguez

Un mensaje

Cada día, cada minuto, cada amanecer, cada flor, cada gota del mar —de ese mar que se enlaza con el mío, lejos pero presente— me hacen sentir más identificado con la idea de que vivir es un milagro y de que todos y cada uno de nosotros somos una maravilla que nunca terminamos de pagar con nuestro esfuerzo, con nuestra fe, con nuestro amor.

Por eso, el mismo día que cumplí noventa y seis años, lo primero que hice fue abrazarme a la naturaleza y luego trabajar en mi piano y en mi violoncello.

Después de eso ya todo podía comenzar. Y hoy creo lo mismo, y por eso quiero enviar a todos este mensaje:

> *No dejéis nunca de trabajar por lo que deseáis;*
> *la vida es un descubrimiento constante*
> *y hay que cumplir con él.*

Fruto de este trabajo de todos y cada uno es nuestro festival; disfrutadlo con el mismo amor con que nosotros lo pensamos y lo preparamos.

¡Es la mejor manera de bendecir lo que hacemos!

Pablo Casals

La libertad

Nadie puede ser perfectamente libre hasta que todos lo sean.

Herbert Spencer

La hoguera de la libertad

Recuerdo un viejo cuento ruso narrado por Tolstoi.
Una mujer del pueblo, al ir de mañana al mercado, deja a su hijo pequeño encargado de preparar la lumbre. El niño busca leña, la amontona en el hogar, la enciende, pero ve que, en lugar de la llama, sólo se produce una espesa humareda que invade la habitación.

No, sin duda la madre sabía disponer de otro modo la leña. El niño coloca los troncos en forma de pirámide y ensaya de nuevo. Pero en vano: humo, sólo humo que hace irrespirable el aire. Tal vez será mejor extender la leña por el suelo, bajo la chimenea... El resultado es aún peor.

Al fin retorna la madre.

—¿Qué es lo que estás haciendo criatura?
—Madre, he probado todas las combinaciones...
—Pero la leña verde no arde. Trae leña bien seca y, en cualquier forma que la coloques, verás qué hermosa lumbre tendremos en casa.

Así es. La leña verde no arde. Con leña verde, con hombres de corazón injusto, por más que variemos las instituciones políticas, por más que innovemos la estructura de la sociedad, no llegaremos nunca a instaurar un régimen de justicia.

Con almas de esclavo, leña verde, jamás conseguiremos encender la hoguera de la libertad.

Lo primero es, pues, crear ese interno estado de ánimo, esa corriente vital de la simpatía. "Ama y haz lo que quieras". Porque, entonces, sólo querrás hacer lo mejor.

André Maurois

Mis metas

Quiero amarte sin absorberte,
apreciarte sin juzgarte,
unirme sin esclavizarte,
invitarte sin exigirte,
dejarte sin sentirme culpable,
criticarte sin herirte
y ayudarte sin menospreciarte.

Si puedes hacer lo mismo por mí,
entonces viviremos con libertad.

Anónimo

La libertad del hombre radica en guiarse por la razón.

Roger Patrón Luján

Es mejor haber luchado y perdido que no haber luchado nunca.

Anónimo

La libertad que libera

Instantes silentes y días esquivos,
con la ilusión a cuestas y la esperanza viva,
a paso constante, viajo cual peregrina
en busca de la libertad...

La libertad responsable, la libertad que libera;
la libertad que rasga pasiones y resquebraja apegos;
la libertad que es frescura de viento y fulgor del agua;
la libertad que engrandece y nos hace más humanos.

La libertad que es
armonía, vida, oasis;
paloma, vino, luz;
canto, cielo, mármol;
puente, acuarela, esfuerzo;
alegría, camino, plenitud;
corazón, creación, melodía;
lucha, nube, roca;
árbol, fuerza, abundancia;
verdad, paz... poesía.

¡La única libertad que brota del amor!

Irene Fohri

*¿Qué sabiduría más grande puedes encontrar que la libertad,
la libertad responsable?*

Anónimo

Hacia una nueva vida

¡Ábrete!...

Tu vida como una flor se abrirá,
su perfume surgirá y te envolverá
y su aroma se fijará en todo lugar por donde vayas
y perfumará por toda la eternidad.

Sentirás que sales como de dentro de un cascarón hacia una nueva vida, en la que respirarás por primera vez la libertad.

Stefano Tanasescu Morelli

El hombre libre siempre está ocupado.

Santos Vergara Badillo

La verdadera libertad consiste en el dominio absoluto de sí mismo.

Michel de Montaigne

Digna libertad

No escogí ser un hombre común.

Tengo derecho a sobresalir.

Busco la oportunidad de desarrollar todas las facultades que Dios me dio.

Quiero correr los riesgos necesarios.

Prefiero los desafíos de la vida a una existencia tranquila; la satisfacción de quien cumple con su deber a la calma inalterable de una utopía.

No cambiaré la libertad por la caridad ni la dignidad por la ayuda.

Tengo por herencia pararme erguido, orgulloso y sin miedo, pensar y actuar por mí mismo, disfrutar los beneficios de mis actos y dar la cara al mundo audazmente diciendo:

¡Esto, con la ayuda de Dios, lo he hecho yo!

Anónimo

Nadie que esté profundamente interesado en una gran variedad de temas puede permanecer largo tiempo sintiéndose infeliz.

William Lyon Phelps

El amor

Bello fin consigue quien muere amando.

Pierre de Ronsard

Sprite
CAFE DE
COLOMBIA
ATLETISMO
UNAM

AMOR VERDADERO

A los sesenta años de edad John Dee se enamoró de una muchacha.

Por ella dejó sus libros, sus cartas, sus instrumentos astronómicos. Los discípulos de aquel buscador de la verdad se entristecieron primero y se burlaron después al verlo embebecido como un adolescente ante los dengues y carantoñas de la pizpireta.

Loco por el amor que le fingía la coqueta, el maestro le dio casa y ajuar. Vendió su amada biblioteca para tener con qué satisfacerle sus caprichos. Cambió un precioso astrolabio por una ajorca de oro falso que a ella le gustó. Meses después, cuando lo vio arruinado, la muchacha lo dejó para irse con otro.

Los amigos del filósofo fueron a verlo, condolidos.

—¿Ya ves? Te decíamos que el amor de esa mujer era mentira.

—Siempre lo supe —contestó John Dee sonriendo con el recuerdo de su inefable dicha— *¡pero mi amor era verdad!*

Armando Fuentes Aguirre

Yo puedo dar

A mi hogar el calor de amor que llevo dentro,
apoyo a mis amigos,
estímulo a todos los que cruzan mi camino,
confianza al desvalido,
seguridad con mi amor demostrado a mi prójimo,
una sonrisa a cuantos cruzan mi vida,
delicadezas diariamente,
lo mejor de mí mismo a mi familia,
jovialidad en mi trabajo,
mis oídos para escuchar a tantos,
mis labios para dar consuelo,
mi tiempo libre para alegrar a alguien,
mi entusiasmo para contagiarlo,
amor en cada palabra, en cada sonrisa,
amor en cada acto,
mi corazón y felicidad.

¡Qué afortunado soy de poder dar amor!

Anónimo

Mirarse a los ojos y encontrarse en el corazón.

Noé Claraso

Antes de nacer la historia, Dios los hizo hombre y mujer, tallo y flor, pámpano y cepa, calor y luz para una tierra oscura, donde sólo ha de existir el amor.

Anónimo

Corazón de metal

Quisiera tener un corazón de metal
de esos que no se dañan
cuando sienten soledad.

Quisiera tener un corazón de cristal
de esos que se transparentan
aun en la oscuridad.

Quisiera tener un corazón de metal
para no sentir que muero
si algún día te me vas.

Gabriel Gamar

Es muy hermoso amar, pero es más dichoso refrendar cotidianamente ese amor.

Roger Patrón Luján

El odio y el miedo se vencen únicamente con el amor.

Martin Luther King

Regalo de vida

Como tú, nací con el instinto de ayudar a un semejante, "en el caso de verlo atrapado".

Luego supe que nací con insuficiencia renal y que, con el avance del tiempo, yo era el que estaba atrapado.

Mi sueño era ser ayudado y luego ser *trasplantado*.

Vaya que si fui ayudado con una máquina de diálisis que hacía la función de mi riñón, que ya no funcionaba como el tuyo. Muchas veces ni siquiera te das cuenta del trabajo que hace en tu cuerpo desalojando todas las sustancias tóxicas que, si no se eliminan, te envenenan y puedes morir.

Sí, la diálisis me ayudó mucho, solo que desgraciadamente también me fatigaba y me causó un gran desgaste físico.

Por largo tiempo, el sueño de recibir el riñón de alguien que no lo necesitara más fue como una petición que en voz cada día más fuerte, hacía.

Suplicaba a Dios y a mis semejantes por *un trasplante*: por un *regalo de vida,* para que alguien me lo donara después de su vida.

Y el día más venturoso de mi existencia llegó: una mamá que sabía que al dar a luz un hijo moriría, dispuso en vida donar su riñón cuando a ella ya no le hiciera falta.

Me dio el más preciado regalo: *¡un auténtico regalo de vida!*

Y su riñón me fue trasplantado, *porque los riñones no se entierran, se trasplantan.*

Ahora en voz alta doy gracias y estoy seguro de que mi donadora contó con la bendición divina por tan altruista acción.

Es una inenarrable sensación de sentirse lleno de felicidad y gratitud.

El día de mi trasplante era un día nublado y parecía triste, pero para mí era el día más feliz por haber recibido el riñón que me volvió a dar vida.

Me he puesto a pensar que quizá Dios nos dotó con dos riñones precisamente con la idea de que pudiéramos disponer de uno de ellos para el más bello y enaltecedor *regalo de vida,* que es la vida misma; y me refiero con esto al también maravilloso altruismo de esos seres vivos que, sabiendo que uno de sus riñones puede significar la diferencia entre vida y muerte, disponen en vida "dar vida" al hermano que lo necesita.

> *¡Dios nos dio la vida pero, a través de la donación,*
> *también nos dio el don de poderla prolongar!*

Yo volví a nacer; Dios bendiga este milagro.

Un millón de gracias.

También agradezco a mi familia, que me dio una receta:

¡cómo convertir pérdidas y angustias en ganancia y victoria!

José Manuel Torres Vara

Si amas la vida no desperdicies el tiempo, pues éste es la tela de que está hecha.

La Bruyère

MANTENERSE ENAMORADO

Amar a una persona es desearle lo mejor.
No hay felicidad sin amor y no hay amor sin renuncia.

Es fácil enamorarse y bastante más difícil mantenerse enamorado, porque ahí entra la geometría del día a día.

No creo en el amor humano eterno, sino en aquel que está hilvanado, tejido y vertebrado de cosas pequeñas.

El mejor amor se desmorona si no se le cuida.

Enrique Rojas

Y me pregunto, ¿existirá otra razón de peso que no sea el amor?

Roger Patrón Luján

El amor es invisible y entra y sale por donde quiere, sin que nadie le pida cuenta de sus hechos.

Miguel de Cervantes

Amar a un ser humano

Amar a un ser humano es gozar de la fortuna de poder comprometerte voluntariamente y responder en forma activa a su necesidad de desarrollo como persona:

Es creer en él cuando de sí mismo duda, contagiarle tu vitalidad y tu entusiasmo cuando está por darse por vencido, apoyarlo cuando flaquea, animarlo cuando titubea, tomarlo de las manos con firmeza cuando se siente débil, confiar en él cuando algo lo agobia y acariciarlo con dulzura cuando algo lo entristece, sin dejarte arrastrar por su desdicha.

Es compartir sus alegrías y regocijarte con él cuando se siente dichoso.

Es disfrutar su compañía sin desear retenerlo ni impedir su vuelo.

Es paladear el regalo de compartir el presente por el simple gusto de estar juntos, sin ataduras ni obligaciones impuestas, por la espontánea decisión de responder libremente.

Martín A. Villanueva

Tengamos por principio el amor... y por finalidad la armonía.

Y así, en la medida en que nos sintamos hermanos, reinará la paz.

Stefano Tanasescu Morelli

NADIE ME AMA

Hay otra ilusión: que es importante ser respetable, ser amado y apreciado, ser importante.

Muchos dicen que tenemos una necesidad natural de ser amados y apreciados, de pertenecer. Eso es falso.

Descarta esa ilusión y serás feliz. Tenemos necesidad natural de ser libres, una necesidad natural de amar, pero no de ser amados.

A veces, en mis sesiones de psicoterapia encuentro un problema muy común: "Nadie me ama, entonces, ¿cómo puedo ser feliz?"

Le explico a la persona: "¿Quiere decir que nunca tiene momentos en que usted olvida que no es amado, y se deja ir, y es feliz?" Por supuesto que los tiene.

Anthony de Mello

El concepto de amor no está en el cuerpo, sino en lo tangible del alma.

Santos Vergara Badillo

Amar es gustar de la mutua compañía. Es querer procrear hijos juntos porque los hijos son los signos de admiración del amor.

Angie Papadakis

En armonía con el infinito

¿Qué es el amor?

Definirlo resultaría aventurado, pero de alguna forma podemos decir que es algo más que la pasión que atrae un sexo hacia el otro, es el sentimiento que nos inclina hacia el bien verdadero o imaginado con quien anhelamos fusionarnos.

Y es precisamente esta mezcla de sentimiento y pasión la que nos conduce a la más dulce y reconfortante de las experiencias porque, cuando amamos, nuestra alma elimina todas las impurezas que la entorpecen en su cauce, exactamente como un río cuando desemboca en el mar.

Es entonces cuando nos perdemos en el universo; nos convertimos en parte de la vasta creación y nos mezclamos con lo inaudible y lo impalpable, vibrando en armonía con el infinito.

Rafael Martín del Campo y Elsa Sentíes

No basta mirar el campo o el monte para llegar a ellos. Hay que comprenderlos haciéndose uno paisaje. Mirar a una persona, sin comprenderla, es rozar su piel y no llegar al alma. La comprensión hace crecer y florecer. La incomprensión es un modo de ahogar y disminuir. Y más cuando viene de parte de quien se ama.

Anónimo

La felicidad

La gente buena, si se piensa un poco en ello, ha sido siempre gente alegre.

Ernest Hemingway

La alegría de vivir

Thich Nhat Hannh, filósofo y monje budista vietnamita, escribe sobre cómo disfrutar de una buena taza de té.

Debemos estar completamente atentos al presente para disfrutar de una taza de té. Sólo siendo conscientes del presente nuestras manos sentirán el calor de la taza. Sólo en el presente aspiramos el aroma del té, saboreamos su dulzura y llegamos a apreciar su exquisitez.

Si estamos obsesionados por el pasado o preocupados por el futuro, dejaremos escapar la oportunidad de disfrutar de una buena taza de té. Cuando miremos el interior de la taza, su contenido ya habrá desaparecido.

Con la vida ocurre lo mismo.

Si no vivimos plenamente el presente, en un abrir y cerrar de ojos la vida se nos habrá escapado. Habremos perdido sus sensaciones, su aroma, su exquisitez y su belleza, y sentiremos que ha transcurrido a toda velocidad.

El pasado ya ha pasado. Aprendamos de él y dejémoslo atrás. El futuro ni siquiera ha llegado. Hagamos planes para el futuro, pero no perdamos el tiempo preocupándonos por él. Preocuparse no sirve para nada.

Cuando dejemos de pensar en lo que ya ha ocurrido, cuando dejemos de preocuparnos por lo que todavía no ha pasado, estaremos en el presente.

¡Sólo entonces empezaremos a experimentar la alegría de vivir!

Brian Weiss

A UN SEMBRADOR

Siembra sin mirar la tierra donde cae el grano.

Estás perdido si consultas el rostro de los demás. Tu mirada, invitándoles a responder, les parecerá invitación a alabarte, y aunque estén de acuerdo con tu verdad, te negarán por orgullo la respuesta.

Di tu palabra y sigue tranquilo, sin volver el rostro. Cuando vean que te has alejado, recogerán tu simiente; tal vez la besen con ternura y la lleven en su corazón.

No pongas tu efigie reteñida sobre tu doctrina. La enajenará el amor de los egoístas y los egoístas son el mundo.

Habla a tus hermanos en la penumbra de la tarde para que se borre tu rostro, y vela tu voz hasta que se confunda con cualquier otra voz. Hazte olvidar, hazte olvidar.

Harás como la rama que no conserva la huella de los frutos que ha dejado caer.

Hasta los hombres más prácticos, los que se dicen menos interesados en los sueños, saben el valor infinito de un sueño y recelan de engrandecer al que lo soñó.

Haz como el padre que perdona al enemigo si lo sorprende besando a su hijo. Déjate besar en tu sueño maravilloso de redención.

Míralo en silencio y sonríe. Bástete la sagrada alegría de entregar el pensamiento, bástete el solitario y divino saboreo de esa dulzura infinita.

Es un misterio al que asiste Dios y tu alma. ¿No te conformas con ese inmenso testigo? Él supo. Él ya ha visto. Él no olvidará.

También Dios tiene ese recatado silencio, porque Él es el poderoso. Ha derramado sus criaturas y la belleza de las cosas por los valles y colinas, calladamente, con menos rumor del que tiene la hierba al crecer.

Vienen los amantes de las cosas, las miran, las palpan y se están embriagando con la mejilla sobre su rostro.

¡Y no lo nombran nunca! Él calla, calla siempre y sonríe.

Gabriela Mistral

Aunque un hombre sea débil, la alegría lo hace fuerte.

Mary A. Sullivan

La persona que no posea un corazón caritativo padece del peor mal cardiaco que pueda tenerse.

Bob Hope

Consejos para el arte de ser felices

Descubrir y disfrutar de todo lo bueno que tenemos; dar gracias por ello.

Aceptar con amor lo que no se puede cambiar y asumir serenamente lo negativo de la existencia.

Vivir el presente y saborear cada momento como si éste fuera el último.

No aferrarse a nada ni a nadie... todo es relativo, todo es pasajero.

Vivir abierto a los demás; comprenderlos y aceptarlos como son.

Perdonar ofensas y olvidarlas. Ante todo, perdonarse a uno mismo.

Preocuparse más por amar que por ser amados, sin preguntarse si nos lo van a agradecer. Darle ayuda a todo aquel que nos la pida.

Llenarse los ojos y el alma de cosas bellas; frecuentar a gente positiva.

Darle tiempo al tiempo, y darse tiempo para uno mismo. Procurar sonreír, con ganas o sin ellas.

Aprender a reírse de uno mismo y no tomar la vida demasiado en serio.

Creer abiertamente en el bien; tener confianza en que, al final, éste triunfará sobre el mal .

Tener fe en el futuro, en la vida y en los seres humanos.

Trabajar en algo que amemos y, si no es posible, al menos amar lo que tenemos que hacer.

Tener un gran ideal, algo que centre nuestra vida, que le dé sentido y esperanza. Creer en algo; luchar por ello.

No ser demasiado ambicioso ni tener metas inalcanzables. Aceptar las derrotas sin amarguras.

Descubrir que Dios es alegría; aprender a sentirlo y a verlo en todos y en todo: en la luz y en la sombra.

José Luis Martín Descalzo

En toda clase de bienes, poseer es poca cosa; gozar es lo que hace a uno feliz.

Pierre A. Caron

Para enojarse es necesario mover sesenta y cinco músculos de la cara; para sonreír, únicamente trece, ¿por qué no economizar energía sonriendo siempre?

Anónimo

Saber vivir

Me levanto cada día con mucho entusiasmo para alcanzar mis metas, fijar objetivos, cumplirlos y tener la grandeza de un ideal.

Sueño con una vida de triunfos, de realizaciones, logros, esperanza y resultados.

Para ser todo lo que podemos ser, tenemos que trabajar, estudiar y soñar en ser más y, para lograr todo lo posible, tenemos que intentar lo imposible.

El límite de nuestra realización son las dudas de hoy.

¡Véncelas y llegarás a donde quieras!

Anónimo

Si quieres atarte a algo, cómpralo, se hará tu dueño. Si quieres disfrutar de algo, réntalo, serás el dueño.

Roger Patrón Luján

Los buenos ratos hay que fabricarlos, porque los malos, llegan solos.

Joaquín Vargas Gómez

Rico, pobre

Era un hombre que no tenía dinero. Tenía una familia, un techo, no le faltaba el pan, guardaba algunos libros y cultivaba un breve jardín, pero no tenía dinero.

Alguien le preguntó:

—¿Por qué eres tan pobre?

Con una sonrisa contestó aquel hombre:

—Porque soy muy rico.

Era feliz ese hombre. Una paz interior lo poseía y llenaba todos sus actos y palabras con una serena placidez. A los suyos les daba amor y de ellos lo tomaba para irradiarlo a los demás.
Era feliz ese hombre.

Alguien le preguntó:

—¿Por qué eres tan rico?

Respondió con una sonrisa el hombre aquel:

— *¡Porque soy muy pobre!*

Armando Fuentes Aguirre

La felicidad está salpicada de dolores y desdichas para que así, cuando estemos felices, la gustemos con más intensidad.

Sylvia H. Gallegos

Soy dichoso...

A mis cuarenta y un años me enfrento a una muy seria enfermedad y, por primera vez en mi vida, siento que todo se me viene encima.

Mi primera reacción fue preguntarme:

¿Por qué a mí?

Pasan los días y pronto la pregunta cambia a...

¿por qué a mí no?,
¿para qué a mí?,
¿por qué y para qué esta prueba?,
¿qué hay de positivo en esta enfermedad?

Y veo la enorme oportunidad de hacer un alto en el camino, de repasar lo que he logrado hasta ahora y de preguntarme:

¿Qué cambios haría yo en mi vida si volviera a nacer?

He sido dichoso:

Pediría nacer de los mismos padres,
de quienes he recibido amor y ejemplo.

Tener los mismos hermanos,
con quienes he crecido y de quienes he recibido tanto apoyo.

Hacerme de los mismos amigos,
con quienes he madurado y disfrutado de momentos inolvidables.

Encontrarme a la misma mujer,
con quien me he realizado como hombre.

> Que Dios me enviara las mismas tres bendiciones que
> me envió como hijos,
> *en quienes he encontrado la razón de luchar.*
>
> Y nacer en mi mismo México,
> *en quien creo.*

En fin, no cambiaría nada y pediría llegar a este momento tan dichoso como lo soy ahora.

Hoy, Dios me regala la oportunidad de crecer y prepararme para seguir adelante y, gracias a esto, encuentro:

> Que el amor de mis padres es inagotable.
>
> Que mis hermanos tienen un valor nunca antes apreciado.
>
> Que tengo más amigos de los que conocía y están más cerca de mí de lo que yo creía.
>
> Que mi mujer es de fortaleza única y la veo más bella que nunca.
>
> Que mis hijos son el mejor de los apoyos
>
> y que todavía puedo hacer mucho por mi país.

En fin, encuentro que soy dichoso...

¡Por tener la oportunidad de seguir viviendo y sirviendo!

Roger Patrón González

LA AMISTAD

A veces, una separación prolongada, a la vez que amortigua los rencores despierta la amistad.

Marcel Proust

Por qué te llamo amigo

Te llamo amigo porque eres:

lazo que une pero no aprisiona;
estrella que guía pero no ofusca;
torrente que quita la sed pero no ahoga;
brisa que sosiega pero no adormece;

mirada que escruta pero no juzga;
silencio que recibe pero no oprime;
cadena que liga pero no aprieta;
palabra que avisa pero no atormenta;

fuego que calienta pero no destruye;
hermano que corrige pero no humilla;
manto que cubre pero no sofoca;
música que armoniza pero no sobresale;

mano que acompaña pero no fuerza;
oasis que restaura pero no entretiene;
corazón que ama pero no exige;
ternura que protege pero no sujeta;

porque eres imagen de Dios,
precisamente por eso.

Anónimo

Sobre la amistad

La amistad es a la vez algo fácil y difícil de adquirir.

Es fácil, pues lo único que se debe hacer es comunicarse con otra persona, lo difícil es mantener esa comunicación toda la vida.

Una vez iniciada debe incrementarse con el tiempo, debe cultivarse con cariño, ternura y lealtad, no importando raza ni credo, para poder conservarla para siempre.

Para conservar una amistad es importante hablarle con honestidad, directo y con toda la verdad —por lo menos lo que uno sabe— para que ésta funcione bien.

Arturo Elizondo

La amistad es la suma de los grandes valores humanos; nos habla de libertad, porque no aprisiona; de igualdad, porque se nutre con el trato justo y de fraternidad, porque siempre está dispuesta.

Roger Patrón Luján

La paz y la tranquilidad son atributos del alma; el cariño y el amor son los sentimientos más nobles que se atribuyen al corazón. Pero la expresión más íntima de un ser no se puede describir y, sin embargo, existe permanentemente en el ser humano... se llama amistad.

Mario López Jiménez

Reglas de oro

Sé amigable y cortés.

Háblale a las personas amablemente.

Sonríe a la gente.

Llama a las personas por su nombre.

Sé cordial.

Interésate verdaderamente en las personas.

Resalta las cualidades de los demás.

Ten consideración de los sentimientos de otros.

Toma en cuenta las opiniones de los demás.

Está dispuesto a prestar un servicio.

Dale Carnegie

Si escucho a mis amigos, ellos me retribuyen con su atención.

Roger Patrón Luján

Amigo es quien acepta nuestros límites pero busca nuestro progreso.

Anónimo

Frente a un amigo

Sé tan fuerte que nadie perturbe la paz de tu mente.

Habla siempre de cosas sanas, alegres y prósperas que puedan ayudar a los demás.

Piensa cuidadosamente antes de hablar, con el fin de que lo que digas sea verdadero, bueno y útil y, si no reúne estas cualidades, más vale no decirlo.

Haz que tus amigos sientan que hay algo de valor real en ellos.

Anónimo

La vida no nos permitió escoger la familia en que nacimos, ni el país donde habitamos, ni la primera escuela a la que asistimos, pero nos permite el mayor disfrute: seleccionar a nuestros amigos, hábito que se inicia en la niñez y que nos fortalece al final del camino.

Roger Patrón Luján

La amistad bien entendida es un complemento pleno de las almas, una donación mutua del ser.

Anamaría Rabatté

Búscame

Si quieres un buen amigo, búscame:

en algún libro,
en tu pensamiento,
en un pájaro al volar,
en un niño al caminar,
en un campo sin labrar,
en tu corazón al palpitar,
en una flor al despertar,
en un barco al naufragar...

Yo sé que ahí me encontrarás porque soy el amor.

Gabriela González

El infortunio pone a prueba a los amigos y descubre a los enemigos.

Epicteto

Creo en ti, amigo; así simplemente, amigo, creo en ti.

Ohiro

Padres e hijos

La experiencia me dice que a mis hijos puedo sugerirles a qué escuela asistir, qué ropa les va mejor, qué coche comprar o en qué casa vivir, pero no puedo decirles con quién se han de casar.

Santos Vergara Badillo

Gracias, mamá...

Porque me amaste antes de nacer
y, a través de tus ojos,
me anticipaste al mundo,
haciéndome sentir la vida
con todo su dolor,
con toda su alegría,
con todo su amor.

Ahora que la atravieso solo,
te doy las gracias cuando sufro,
cuando río o cuando amo,
porque detrás de cada lágrima,
de cada sonrisa o de cada reto,
te encuentro.

Juan Delgado V.

Una locura...

Querida hija:

He querido escribirte estas líneas porque deseo que sepas cómo me siento hoy y, sobre todo, decirte que me interesa mucho saber cómo te sientes tú.

En cuanto a mí, lo más difícil fue tomar una decisión: aceptar que lo mejor de aquella relación se había ido, que nuestro matrimonio había sido grandioso y que ya no lo era.

Yo lo hice, tomé una decisión, porque descubrí que era lo mejor para todos. Fue muy difícil, créelo. Es duro despertar con la certeza de que existe un vacío: en la casa hay un hueco, en la mesa, un espacio, en mi corazón, una hondonada.

Y, sin embargo, puedo sentir en el fondo de mí un enorme descanso. Siento el alivio de saber que mi vida tiene ahora congruencia, que no he de aparentar lo que no es.

Recuerda siempre que una mentira a medias jamás será una *media verdad*. Por eso, tu papá y yo quisimos ser sinceros, aceptar y afrontar la verdad, ésa que nos decía ¡que era mejor separarnos que estar juntos! Te repito, hija, no fue fácil, menos aún después de habernos querido tanto.

Ahora que tú y yo comenzamos una nueva faceta en nuestra vida, quiero que pienses que, a pesar de los motes, seremos una familia; en cada despertar haremos una oración que nos conceda la dicha de seguir siendo tú y yo, solas incluso, una hermosa familia.

Y para ello, hija, te necesito fuerte. Requiero de tu alegría, tu vigor y tu ánimo, porque todo lo bueno, en adelante, lo forjaremos juntas.

Y cuando llegue el día en que el amor te indique que has encontrado a tu pareja, a esa persona a quien has de querer intensamente, a quien has de colmar de instantes muy hermosos, aprende de mis errores, para que nunca olvides que una flor se riega todos los días.

Advierte nuestros errores, para que tu unión sea más sólida. Y, aunque hayamos fallado, acepta esta enseñanza de que nuestra separación fue una lección de honestidad y valor.

Ahora que, aun con dolor, me siento más tranquila, puedo recordar satisfecha como, en el pasado, tuve la dicha de hacer a tu papá feliz. Jamás olvidaré que también él llenó mi vida de alegría. Después, cuando el amor menguó, ya no nos conformamos. Espero que ahora entiendas, como yo ya lo he hecho, que es una locura amar...

Lo es a menos que se ame con locura.

Elena S. Dávila

Hay que decir a los hijos toda la verdad que sean capaces de entender, aunque sólo sea para establecer el atributo más valioso de un padre o madre: la credibilidad.

Si a un niño de tres años su padre o su madre lo engañan diciéndole que la inyección no le va a doler, ¿cómo podrá creerles después, cuando le digan que la mariguana, el alcohol o faltar a clases lo perjudican?

Stan y Jan Berenstain

La mamá más mala del mundo

Yo tuve la mamá más mala del mundo.

Mientras los otros niños no tenían que desayunar, yo tenía que comer cereal, huevos y pan tostado. Cuando los demás tomaban refrescos gaseosos y dulces para el almuerzo, yo tenía que comer un sandwich.

Mi madre siempre insistía en saber dónde estábamos, parecíamos encarcelados. Tenía que saber quiénes eran nuestros amigos y lo que estábamos haciendo. Insistía en que si decíamos que íbamos a tardar una hora, solamente nos tardáramos una hora.

Me da vergüenza admitirlo, pero hasta tuvo el descaro de romper la ley contra el trabajo de niños menores: hizo que laváramos trastes, tendiéramos camas, aprendiéramos a cocinar y muchas cosas igualmente crueles.

Creo que se quedaba despierta en la noche pensando en las cosas que podría obligarnos a hacer; siempre insistía en que dijéramos la verdad y nada más que la verdad.

Para cuando llegamos a la adolescencia, ya fue más sabia y nuestra vida se hizo aún más miserable.

Nadie podía tocar el claxon para que saliéramos corriendo; nos avergonzaba hasta el extremo obligando a nuestros amigos a llegar a la puerta para preguntar por nosotros.

Mi madre fue un completo fracaso; ninguno de nosotros ha sido arrestado, todos mis hermanos han hecho labor social y también han servido a su patria.

Y... ¿a quién debemos culpar de nuestro terrible futuro?

Tienen razón, a nuestra mala madre.

Vean de todo lo que nos hemos perdido.

Nunca hemos podido participar en una manifestación con actos violentos y miles de cosas más que hicieron nuestros amigos. Ello nos hizo convertirnos en adultos educados y honestos.

Usando esto como marco, estoy tratando de educar a mis hijos de la misma manera; me siento orgulloso cuando me dicen que soy malo.

Y, verán...

Doy gracias a Dios por haberme dado,

¡la mamá más mala del mundo!

Paul H. Dunn

Una madre joven se quejó con su mamá de que tenía que
¡bañar a sus hijos!

La abuela tranquilamente respondió:
– No tienes que bañar a tus hijos, ¡tienes a tus hijos que bañar!

Caroline Trowbridge

¡Quiérete a ti mismo!

Antes de querer a tus semejantes, quiérete a ti mismo.

Es muy importante querer a tus padres, hermanos, demás familiares y amigos, pero es más importante quererte a ti mismo.

Cuando te quieres a ti mismo, te respetas, y haces que los demás te respeten. Nunca harás cosas que te dañen, tales como fumar o tomar drogas o beber alcohol; cuidarás tu salud, tu aseo personal y tu imagen.

Para querer a otras personas, es absolutamente necesario que primero te quieras a ti mismo, de otra manera te convertirás en una persona voluble a quien nadie querrá brindarle cariño ni confianza.

Cuando aprendas a quererte a ti mismo, sabrás apreciar mejor tus defectos y harás todo lo que sea necesario para corregirlos.

Quiérete a ti mismo porque eres el ser
¡más importante del universo!

Luis Castañeda

La mayor riqueza que se puede poseer como hijo es la herencia de tener buenos padres.

Sylvia H. Gallegos

¡Por lo que son!

Cuando los papás anhelan un bebé, desde el momento en que se inicia la espera quieren, con todas las fuerzas de su ser, lo mejor para él.

Sin embargo, ¿qué significa aquello que definimos como "lo mejor para nuestros hijos"?

La mayoría de las veces, y de manera inconsciente, lo identificamos con el desarrollo de las capacidades de la persona: sano, inteligente, exitoso en el mundo de los estudios y los negocios, etcétera.

Nuestra sociedad valora a las personas por lo que tienen, hacen o saben y *¡no por lo que son!*

Alberto Athié

¿Qué es un abuelo? Lo primero que viene a mi mente es algo que me dijo un amigo hace poco: los abuelos sirven para consentir a sus nietos, los padres para educar a sus hijos.

Raúl Aréchiga E.

Padre soltero

El feliz alumbramiento se dio con una pequeña niña.
Nació normal y la llamamos Itzel. Un mes después, mi esposa le quitó el pecho y una cantidad de afectos necesarios.

Nuestra situación como pareja se hizo cada vez más difícil y, cuando la niña tenía ocho meses, la madre me dijo que nos iba a dejar, que esa vida no era para ella, pero que se llevaba lo que le correspondía: todos los muebles.

En mi desesperación, lo que pude decir fue: "*Te llevas lo material, pero me dejas lo mejor*". Si se hubiera llevado a mi hija quizás me hubiese suicidado.

Lloré tanto, sintiendo que la vida era amarga y sin sentido. Durante tres meses me volví loco, bebí todo el alcohol que pude, pero la tristeza no se me pasó. Me volví descortés con las mujeres, pensé que todas eran traicioneras y debía desconfiar de ellas.
Se me había acabado el mundo.

Sin embargo, mi madre me ayudó con mi hija.
Un día dije: *si mi hija no tiene madre, que tenga mucho padre.*

Este pensamiento fue lo que me hizo salir adelante. Mi hija tenía un año dos meses cuando me di cuenta de que algo andaba mal: mi hija no respondía a los estímulos.

El diagnóstico fue desmoralizador: mi hija era como un vegetal y la rehabilitación temprana era lo único que la ayudaría.

La llevé a todos los hospitales que me mandaron, le hice todas las terapias que me indicaron y nunca me desentendí de mi hija, sabía que yo era lo único que ella tenía.

Llegaba a casa y hacía la labor que dicen le corresponde a las madres; yo lo hice y creo que estuve bien en permitírmelo; le cambiaba los pañales, la bañaba y le daba de cenar.

Todo este proceso fue muy duro pero también muy emotivo:

¡aprendí que cuando uno quiere, puede!

Llegó el momento en que mi niña tenía que convivir con otros niños y conocí varios jardines infantiles; cada uno me dio algo bueno.

Yo también me esforzaba por que la trataran bien y en varias escuelas, mi hija ganó premios de asistencia, de puntualidad y de limpieza.

Esta experiencia como padre soltero duró ocho años. Al cabo de ese tiempo, conocí a una buena mujer que comprendió todo lo que habíamos pasado mi niña y yo, y aceptó casarse conmigo.

Hoy tengo dos hermosas hijas más, que han ido tranquilizando todo el proceso de mi vida adulta, que en sus inicios fue tan convulsionado.

Con este testimonio quiero plantear que, con amor y decisión, uno puede resolver situaciones que en el momento de vivirlas parecen insalvables.

Ahora, al recordarlas y ver con satisfacción que mi hija mayor ya tiene 16 años, que es cada vez más autónoma y que para nada es un vegetal, puedo decir lleno de orgullo que esto se debe a que...

¡tuvo mucho padre!

Roberto Monge Chuliá

El hogar es la primera escuela que la vida te ofrece; aprovéchalo al máximo.

Roger Patrón Luján

Súplica de una madre

Hijo:

No te estanques jamás, quiero que triunfes.
Supérate a ti mismo día tras día. Instrúyete, trabaja.
Nunca digas mañana, hazlo en el momento.
Nunca digas después, puede ser tarde.

Cada día se aprende algo nuevo. Deja huella al morir;
nunca te apagues.

Quiero que siempre brilles, que destaques; que cumplas tu
misión en esta vida. No vivas en vano, te lo ruego.

Es muy triste que alguien acabe siendo nadie; lucha hasta el final.
No te conformes con: ya tengo bastante, es suficiente.

Dios te dio inteligencia, úsala. Dios te dio corazón, pues ama.

Cada esfuerzo es un triunfo, y un triunfo satisface.

Sé hombre de verdad, no simple hombre. Aprende a hacer el
bien, que te respeten. Que seas a los demás siempre agradable.
Que te quiera la gente; no te crezcas. El orgullo envilece y
hasta ciega.

Señálate una meta: el cielo. El camino a seguir Dios te lo dice.

Y así podrás reír y contagiar a otros. Y así podrás amar y ser
amado. Y cualquier carga sentirás ligera, si te enseñas a dar
sin recibir siquiera.

Así te quiero ver, hecho, crecido, en plena madurez.
Hombre de verdad; para mirarte entonces con orgullo y
exclamar satisfecha: ¡es mi hijo!

Elsa Parrao de Hoyos

EN VEZ DE TELEVISIÓN

¡Me levanté a la quinta vez que sonó el despertador!

Todavía había tiempo para llegar a clase de nueve, pero preferí quedarme acostado otro rato.

Prendí la televisión y lo mismo de siempre:

Primer canal:
"*Apañóla, matóla, violóla y guardóla*".

Otro canal:
"*Aumenta la corrupción respecto al año pasado*".

El siguiente canal:
"*Se incrementan el desempleo y la pobreza*".

El que sigue:
"*Las caricaturas más violentas del planeta*".

Mi última opción:
"*Ante la imposibilidad de conseguir carne, una receta con soya*".

¡Desesperante!

Decidí la mejor opción:
¡apagarla!

Y, al asomarme por la ventana de mi recámara, vi el jardín lleno de flores y empecé a recordar los momentos que pasamos con mi amigo Lucas leyendo algunos libros.

Patricia Arriaga y José García

Por qué no te lo habíamos dicho antes

Querido hijo:

Nunca te lo habíamos dicho, pero desde que nos casamos tuvimos el gran deseo de procrear un hijo.

Sin embargo, por razones que aún no comprendemos, esa posibilidad nos fue negada. Y al no encontrarte en mí, ni en el vientre de tu madre, nos dimos a la tarea de buscarte, sin importar dónde estuvieras.

Te buscamos en los alrededores, en los lugares más lejanos y después por todo el mundo; pero el mundo se nos hizo enorme.

Mientras tanto, Dios nos observaba con detenimiento y tal vez hasta con preocupación. Se dio cuenta del fervor con que te deseábamos, pero ya no era el momento de que nos diera otra oportunidad.

Entonces tomó la decisión de hacernos más pequeño el mundo y de pronto te puso ahí, donde te encontramos.

¿Cómo sucedió? Aún no me lo explico. Para mí fuiste un acto de fe; para tu madre, un milagro.

Dios nos dio el hijo que tanto anhelábamos y hasta la fecha no sé a ciencia cierta por qué te puso en nuestro camino; de lo que sí estamos muy seguros es de que fuiste lo mejor que nos pudo pasar, pues llenaste nuestra vida de alegría.

Nos han llegado rumores de que te vieron inquieto, haciendo algunas preguntas sobre tu verdadero origen.

Sabíamos que este momento llegaría algún día, pero no pensamos que fuera tan pronto.

Aún no estamos preparados para decírtelo todo.

Por lo pronto, queremos recordar tu vida desde el primer día... estábamos muy tranquilos cuando alguien llamó por teléfono. De inmediato grité a tu madre y le di la buena nueva.

Una madre, con mil problemas a cuestas, había dado a luz a un pequeño y no lo podía mantener. No es que no te quisiera, al contrario, te quería con toda el alma y deseaba lo mejor para ti. Cuando llegamos, te pusieron en nuestros brazos y desde entonces te empezamos a amar. Hasta hoy le vivimos eternamente agradecidos por habernos entregado lo mejor de su vida, pues con ello nos prolongó la nuestra.

Te estamos escribiendo esta carta para el momento en que quieras saber la verdad, pero de antemano queremos que sepas que nuestra intención nunca fue engañarte, sino darte un verdadero hogar. *Un hijo siempre es un hijo, sin importar cómo ha llegado.* A veces Dios no tiene el tiempo de atender los pedidos con rapidez y trata de recompensarnos enviándolos por otro medio.

Así nos pasó contigo, pero, ¡más vale tarde que nunca!

Pero hijo, conforme pase el tiempo verás que nuestro amor no cambia, que te adoptamos para siempre y que nuestro cariño por ti ha crecido día con día. Que tu madre te idolatra y que yo he puesto en ti todas mis esperanzas.

Hoy, gracias a ti, llegamos a ser una familia completa en la que el amor nos ha unido para siempre.

Hijo, hemos decidido comunicarte esto, no porque estemos lejos pues, al contrario, estamos cerca, muy cerca de ti.

Tus padres para siempre.

Gabriel Gamar

A mi hija

Fuiste el ser que logró renovarme como mujer. Fue tu llanto, tan lastimero y frágil como tu cuerpo, el primer impulso que logró cautivar mi anhelado sentir de madre.

Fue tu risa el primer canto al amor, el primer sonreír y despertar a la vida; mi sentimiento maternal fluyó como la sangre que inundó mi cuerpo.

Tus primeros pasos, aún grabados los tengo en mi memoria, cual fotografía que nunca el tiempo logrará borrar.

Enriqueciste mi alma con tu voz apenas audible. Sólo tu mirar logró derribar la niña que en mí había para convertirla en mujer, en madre.

Qué felicidad recordar cuando en mi seno descansaste tantas noches de inquietud, cuando al acariciar tu pelo me sonreías. Ver tu mirada a través de aquel cristal, aún empañado de manos traviesas y de bocas relucientes, resulta para mí un bello placer.

Hija mía, niña mía, hoy que has crecido y has cambiado de ser mi bebé, mi nena de brazos, para correr a la escuela y aprender por ti la vida, hoy siento mi alma tranquila.

Sé que formé tu espíritu y que aprenderás por ti misma.

Anónimo

Aunque no quieras admitirlo, nueve de diez veces tu mamá estaba en lo cierto.

David Scott

Oración de un niño

Señor, esta noche te pido algo especial.

Conviérteme en un televisor, quisiera ocupar su lugar para poder vivir lo que vive el televisor de mi casa.

Tener un cuarto especial para mí, congregar a todos los miembros de la familia a mi alrededor, ser el centro de atención al que todos quieren escuchar, sin ser interrumpido ni cuestionado.

Que me tomen en serio cuando hablo, sentir el cuidado especial e inmediato que recibe la televisión cuando algo no le funciona.

Tener la compañía de mi papá cuando llega a casa, aunque venga cansado del trabajo. Que mi mamá me busque cuando esté sola y aburrida, en lugar de ignorarme.

Que mis hermanos y amigos se peleen por estar conmigo, divertirlos a todos, aunque a veces no les diga nada.
Vivir la sensación de que lo dejan todo por pasar unos momentos a mi lado.

¡Señor, no te pido mucho, todo esto lo vive cualquier televisor!

Inspirado en un texto de José Luis Martín Descalzo

Detrás de un matrimonio feliz, siempre hay una familia feliz.

Mario López Jiménez

La mejor decisión

Querido hijo:

Sé que los últimos meses han sido para ti un martirio. Jamás imaginé que, amándote como te amo, pudiera causarte este dolor.

Sin embargo, tu mamá y yo tomamos la mejor decisión. Lo peor ya ha pasado. Y es que ningún tumor puede extirparse mediante aspirinas; hay que operarlo, y duele.

Sabes de sobra que los seres humanos cometemos muchísimos errores... y a veces no nos queda sino intentar no agrandarlos.

Pero no creas que me parece un error haber amado tanto a tu madre; tampoco pienso que nuestra relación haya sido un tumor: fueron los desaciertos, nuestras actitudes equívocas y el desamor...

Por supuesto, mi grave error consistió en no haber sabido cultivar aquellos buenos momentos, en dejar pasar la vida a su lado sin preguntarme si estaba haciendo algo por merecer su amor.

Dejé que me invadiera el cansancio, la apatía, la rutina... y permití que a nuestro hogar entrara ese tirano llamado "mal humor".

Ahora comprendo que las cosas no marchaban muy bien desde hacía mucho tiempo y que, detrás de cada discusión, había una súplica mutua: "escúchame, tómame en cuenta, ámame".

¿Sabes algo, hijo mío? Tal vez no lo recuerdes pero esta casa fue algún día un hogar; tu mamá y yo fuimos pareja, con mayúsculas, y nuestra unión una gran bendición. Y la prueba es tangible y hermosa: naciste.

Pero después, ya sabes, las cosas tomaron otro rumbo. Ahora sólo queda enfrentar el dolor de esta ruptura.

Y por si fuera poco, duele también saber que tú y yo ya no compartiremos más un solo techo; eso me impedirá disfrutar a diario tu sonrisa, que tanto amo. Sólo recuerda algo: que nuestro amor, tuyo y mío, es incólume.

Un viejo amigo, a quien hacía tiempo no veía, al enterarse de lo sucedido me dijo: "No sabes cuánto me duele que Elvira y tú se hayan divorciado". ¿Te imaginas? A un amigo lejano le impactó, le dolió: ¡cuánto dolor no habrás sentido tú, nuestro hijo, y cuánto no estaremos sintiendo tu mamá y yo, los protagonistas directos de este drama!

Al menos ahora sé que nuestro gran dolor no ha sido estéril: de hecho, ningún sufrimiento lo es, porque de él se aprende.

Busca en tu corazón qué aprendiste de esto. Yo aprendí algo que parece muy obvio: que el amor y el respeto se cultivan. Y, sobre todo, el dolor me enseñó a acercarme a Dios. Aprendí a estar a solas con Él y a recibir respuesta.

Ahora, gracias a Él, puedo vivir este duelo con una paz inmensa, y saber con certeza que Dios y el tiempo han de curarme...

Esteban Sánchez Celaya

Hijo, guarda todos los consejos en lo más profundo de tu corazón, porque algún día los necesitarás.

Anónimo

El hombre y la mujer

Un hombre y una mujer son necesarios para enfrentar lo cotidiano como lo son el día y la noche.

Y para vivir con plenitud se requiere de él y de ella, y no de cada uno por su lado.

Roger Patrón Luján

PARA SER FELIZ

Mamá Gracia era muy sabia. Le ayudó bastante no haber ido nunca a la escuela.

Así tuvo mucho tiempo para aprender las cosas de la vida. Adquirió esa sólida sabiduría femenina que se llama sentido común y que a los estudiosos de los libros les falta casi siempre.

Cierto día una de sus nietas, muchacha en edad de merecer, le pidió un consejo.

—Mamá Gracia, ¿qué debo hacer para ser feliz cuando me case?

Mamá Gracia dio una chupada a su cigarro de hoja, y pareció perder la mirada en las volutas de humo que subían.

Luego dijo a la chica:

—Antes de casarte abre muy bien los ojos; después, ciérralos un poco.

He leído muchos libros sobre el arte de la felicidad, y más sobre la ciencia de la felicidad conyugal, que es ardua ciencia.

¡En ninguno de ellos he encontrado un consejo tan sabio como el que Mamá Gracia dio a su nieta!

Anónimo

Un ángel

Desde hace mucho tiempo vengo sospechando que mi esposa es un ángel. Y mis sospechas están bien fundadas, pues hemos vivido juntos más de medio siglo y nunca le he conocido acción u omisión alguna, de índole intencional, en contra mía o de otra persona.

Y no es porque sea una pazguata, pues tiene su carácter, es de convicciones arraigadas y sostiene sus puntos de vista con firmeza pero con toda educación, suavemente. Las discusiones con ella no son acres, sino tan sólo exposiciones de nuestros diversos puntos de vista, y siempre han concluido en una armónica conciliación.

Nunca la he escuchado hablar mal de nadie y siempre trata de disculpar las faltas ajenas o, por lo menos, de comprenderlas.

Su práctica de la caridad no la limita a la ayuda económica sino que escucha a sus "pobres" y les brinda palabras de consuelo.

Cuando hay penas y sufrimientos, que nunca faltan, los acepta con resignación cristiana y no pierde la esperanza de que se truequen en bienes, pues tiene una fe infinita en la bondad de Dios.

Ora mucho en las más diversas circunstancias, de una manera suave, dulce, como si estuviera en éxtasis espiritual.

Cuando llora, que no es extraña a las lágrimas, lo hace sin aspavientos, sin ruido, cual si estuviera orando con todo el corazón.

Vive en perpetuo asombro por la obra de Dios, manifestada en la naturaleza.

Se maravilla en la contemplación de las flores de nuestro selvático jardín.

Se alegra con los verdes renuevos que periódicamente nos anuncian que nuestro añoso cedro aún tiene vida.

Y, a Dios gracias, al propio tiempo es cálidamente humana, lo cual hizo posible que nos enamorásemos y procreáramos ocho hijos, a los que ama profundamente, así como a nuestros veintiún nietos y tres biznietos. Y tiene gran afecto por sus numerosas amigas.

Por todo ello, cuando estuvo a punto de morir el año próximo pasado y con toda serenidad me pidió que le copiara el poema intitulado "Señor, estoy lista para partir", añadimos a la copia de este poema una posdata en la que nuestros hijos y yo le pedimos que por favor no nos dejara, pues nosotros aún no estábamos listos para aceptar su partida.

Y su entereza, su amor a la vida, la oportuna ayuda fraterna, la ciencia médica y mil circunstancias más se enlazaron a nuestros ruegos y oraciones para producir el milagro de que haya recuperado plenamente la salud —estando ya casi desahuciada— para continuar en este mundo irradiando su bondad.

¡Y es que a los ángeles, dada su escasez, hay que procurar retenerlos en la Tierra!

Alfredo Patrón Arjona

La mujer perfecta es la que no espera que su marido sea perfecto.

Anónimo

Por regla general, la gente que sabe disfrutar de la vida también sabe gozar del matrimonio.

Phyllis Battelle

Me di cuenta

Cuando presencié tu partida, me di de cuenta de que no había preparado tu equipaje, me di cuenta de que éste era un viaje muy especial y que cualquier labor mía ya sería inútil.

Sentí el más fuerte desamparo, sentí vacías mis venas. Abracé tu ropa e inhalé todo tu aroma para sentirte todavía mi refugio y para que Dios me dijera que no era verdad mi desdicha.

Los días cayeron sobre mí como una interminable cascada. Me di cuenta de que respiraba sin ti y que, por más que suspirara, no era tiempo para alcanzarte.

Ahora sólo te digo: Duerme, ángel mío, que yo te llevaré un equipaje muy especial y no sé cómo haré para guardar, para acomodar tanto amor que siento por ti.

María Guadalupe de Pérez Verduzco

Vivir es tan fascinante que queda poco tiempo para otra cosa.

Emily Dickinson

Una dama...

Puede tener mal genio pero nunca lo demuestra. No se deja arrastrar por la ira, evita las discusiones y no grita.

Es igualmente educada en su hogar que en la más elegante recepción. Posee en todo momento consideraciones para los demás y tiene buenos modales aun cuando esté desayunando sola.

Se atavía con pulcritud y de acuerdo al momento. Evita la exageración, teme el ridículo y sabe, porque es dama, que la sencillez es la base de su elegancia.

No descuida las pequeñas atenciones de todos los días, la palabra de agradecimiento al abandonar una reunión, la llamada telefónica para rehusar una invitación, el telegrama de pésame o felicitación.

Respeta la moda, pero no cae en la vulgaridad. No usa faldas a medio muslo ni sale a la calle en pantalones deshilachados, ni mal aseada.

No mastica chicle. Es un pedacito de luz que en forma discreta, pero exquisita, ilumina todo cuanto está a su alrededor.

Anónimo

La riqueza en los seres humanos se encuentra en sus sentimientos, no en sus recursos materiales.

Pedro Cruz López

Milagro

Comenzó mi sueño los primeros días en que
mis muñecas me decían mamá...

Se siguió nutriendo de mis fantasías
de mi tierna infancia y mi pubertad.

Luego fui la novia, después la esposa...
transformó mi cuerpo la maternidad.

Tu latir sentía, con fe te esperaba,
a veces llorando de felicidad.

Hoy no eres el sueño,
eres el milagro que gestó mi ser.

Y ante tal prodigio, doy gracias al cielo
por el privilegio de nacer mujer.

Anónimo

La gran virtud del matrimonio estriba en que nos permite estar a solas sin sentirnos solitarios.

Gerald Brenan

SER MADRE

Ser madre es un dolor gozoso.

Es dar porque elegimos dar.

Es ser dos veces ser.

Es latir de un doble corazón.

Es ver sin tener que mirar.

Es amar antes de conocer.

Es creer que existe un más allá.

Es sentir la presencia de Dios.

Anónimo

La mujer es para los hombres el horizonte en el que se funden el cielo y la tierra.

Ludwig Borne

Vale más sembrar una cosecha nueva que llorar por la que se ha perdido.

Anónimo

LA RIQUEZA

Alegrémonos de la vida, porque nos da la oportunidad de amar, trabajar, jugar y mirar las estrellas.

Henry Van Dyke

¡Yo voy a cambiar!

—Ahora me gustaría saber acerca del cambio —dijo un hijo a su padre.

—El cambio lo entenderás con el ejemplo de una abeja que a temprana edad se percató de que había mucho por realizar.

Aunque algunas abejas la veían como soñadora e idealista ella se dijo:

¡Quiero un lugar mejor en donde vivir!

La abeja, por un tiempo, reflexionó, voló por varios sitios, indagó en algunos colmenares, observó a sus hermanas, conversó con sus amigos y habló con su familia hasta que un día, al posarse en una fuente, se preguntó:

¿Por dónde comienzo?

Quizá con todas mis hermanas abejas, pero son demasiadas. Mejor empiezo con mi colmenar, aun así son bastantes; he reflexionado y si soy honesta... antes de intentar cambiar a mis hermanas... ¡debo comenzar conmigo!

¡Yo voy a cambiar!

Irene Fohri

Todo tiene remedio

Todos vivimos lo que nos toca vivir.

Todo depende de cómo lo apreciemos. Es muy común que nos quejemos de lo que tenemos, pero lo añoramos cuando lo perdemos.

Lo importante es aprender y aprovechar lo que nos sucede para seguir creciendo y desarrollándonos, siempre en convivencia con los que nos rodean. No todo es color de rosa, ni color rojo hormiga.

Lo que he podido apreciar de la vida, por lo que me ha tocado vivir, es que todo tiene remedio.

Rosa E. Gheno

Para celebrar mi éxito voy a regalar hasta el último centavo de lo que gané hoy.

Mario Moreno, *Cantinflas*

No hables a menos que puedas mejorar el silencio.

Vermont

La siembra del bien

¡No te canses de hacer el bien!

Todas las veces que nos detenemos, el alma empieza a sentir la rigidez de los muertos.

El espíritu que no trabaja se muere de tedio y de cansancio.

No consientas que la pereza debilite tu espíritu.

Vive con alegría y entusiasmo, y consagra todas tus energías a la siembra del bien, el amor y la ternura en los corazones que los buscan.

C. Torres Pastorino

La vida engendra vida. La energía engendra energía.
Sólo si nos damos, nos enriquecemos.

Sarah Bernhardt

Una mentira tiene vida corta, pero la verdad vive para siempre.

Anónimo

Sé

Si puedes ser una estrella en el cielo,
sé una estrella en el cielo.

Si no puedes ser una estrella en el cielo
sé una hoguera en la montaña.

Si no puedes ser una hoguera en la montaña,
sé una lámpara en tu casa.

Anónimo

Plata con escorias esmaltada sobre arcilla, son los labios dulces con corazón perverso.
Manzanas de oro con adornos de plata, es la palabra dicha a tiempo.
Anillo de oro, o collar de oro fino, es la reprensión sabia en oído atento.

Proverbios

No te inquietes por algo que no llega, ni implores, ni supliques, y tan sólo haz el bien.

Anónimo

NUNCA

Nunca:

Exageres.

Reveles un secreto.

Prometas lo que no estés seguro de cumplir.

Hables de tus propios hechos.

Dejes de ser puntual.

Dejes de dar una contestación a un pregunta atenta.

Interrogues a un criado o a un niño acerca de los asuntos de familia.

Leas cartas dirigidas a otro.

Llames la atención hacia las imperfecciones de alguien.

Refieras que has hecho algún regalo o algún favor.

Te asocies con malas compañías; busca una buena o ninguna.

Llames la atención de alguien tocándole; háblale.

Contestes en sociedad alguna pregunta que se haya hecho a otro.

Prestes a otro lo que te hayan prestado a ti.

Pases en medio de dos personas que estén platicando.

Demuestres mucha familiaridad con un nuevo conocido.

Anónimo

La educación y la vida

En cuestiones de cultura y de saber, sólo se pierde lo que se guarda; sólo se gana lo que se da.

Antonio Machado

Filosofía indígena

Un día me puse a observar los huaraches de un joven cora y le dije:

—Oye, Albino, ¡qué hermosos huaraches!¿Dónde los compraste?

—Yo los hice.

—¡Qué maravilla!¿Y nada más tienes ésos?

—Sí.

—¿Por qué no te haces más?

—Porque nada más tengo dos pies.

—¿No te gustaría tener otro par?

—No. Cuando éstos ya no me sirvan me haré otros.

Es una anécdota pequeña pero significativa. Me di cuenta entonces del consumismo tan degradante al que nos hemos acostumbrado.

Rafael Doniz

¡Aléjate del alcohol y de las drogas!

Tuve oportunidad de conocer a Paco, un joven que purga una condena por asalto y lesiones en un reclusorio de la Ciudad de México. Conversando con él me platicó las causas de su vida delictiva, todas ligadas a la drogadicción y al alcoholismo.

Cuando se enteró de que soy autor de libros de superación personal, me pidió, más bien me suplicó, que a través de mis escritos diera un mensaje a los niños y jóvenes de nuestro país.

Su mensaje es muy simple pero muy profundo, y ojalá pudiera yo expresarlo con el mismo sentimiento con que Paco lo hizo. Su mensaje es:

> *"¡Aléjate del alcohol y de las drogas!...*
> *para que no termines en la cárcel como yo,*
> *para que no eches a perder tu vida por tonterías".*

Luis Castañeda

Es más fácil criticar, difamar y envidiar a quien no podemos igualar que tratar de superarlo.

Pedro Cruz López

¡Buen viaje por la vida!

Para tu recorrido por el viaje de la vida, escúchame:

Ama, porque el triunfo no es hacer lo que quieres, sino querer y disfrutar lo que haces compartiéndolo con quienes amas.

Fórjate y cambia los fracasos por enseñanzas: intenta una vez más, cuantas veces sean necesarias.

Trabaja para ser mejor, sabiendo de antemano que no podemos ser perfectos ni tener todo porque aquí no es el paraíso.

Perdona y pide perdón para no perder los mejores años de tu vida angustiándote por cuestiones que ya pasaron.

Aspira a crecer como persona y, al mismo tiempo, aprende a vivir dentro de tus propios límites sin resentimientos ni envidia.

Camina, practica algún deporte, ríe y ten un pasatiempo para alejar el aburrimiento y la soledad, y acercar el optimismo y la alegría.

Arréglate, aunque la moda diga lo contrario. Al presentarte desaliñado te faltas el respeto a ti y a los demás.

Acepta que el dinero no es el éxito y que, para trascender, hay que emprender, crear, dar, ser mejor y amar.

Cultiva la paz y el amor, la humildad y la paciencia, la esperanza y la fe, sin olvidar comprometerte y responsabilizarte.

¡Buen viaje por la vida!

Irene Fohri

¡Yo te reto!

Es muy difícil poner un reto sobre papel.

Yo prefiero mirarte directamente a los ojos y decir,

¡Yo te reto!

En mi mente, esto es exactamente lo que estoy haciendo.
Yo estoy en un lado de la mesa; tú, en el otro lado.

Te miro de frente y te digo:

¡Yo te reto!

Yo te reto, joven, a ti que vienes de un hogar de pobreza.
Yo te reto a tener las cualidades de un Lincoln .

Yo te reto, heredero de riqueza y orgullo de linaje, con tus generaciones de valiosas existencias, tus tradiciones de liderazgo.

Yo te reto a lograr algo que hará que el futuro te señale aún con más orgullo de lo que el presente está señalando para aquellos que han ido antes que tú.

Yo te reto, niño o niña, a hacer que la vida te obedezca, no tú a ella. Es únicamente un reto superficial hacer cosas tontas.
Yo los reto a hacer cosas de elevado valor.

Yo te reto, joven ejecutivo, a asumir jubilosamente más responsabilidad, a lanzarte dentro de lo profundo, a crear magníficamente.

Yo te reto, joven autor, a ganar el Premio Nobel.

Yo te reto, joven investigador, a llegar a ser un "cazador de microbios".

Yo te reto, niño granjero, a llegar a ser un "granjero experto" un "luchador vehemente".

Yo te reto, hombre de negocios, a tener una "sublime obsesión".

Yo te reto, abuelo, con tus raíces profundas en el suelo y tu cabeza cogiendo los rayos del sol sobre la multitud, a planear un programa de retos para coronar los años de tu vida.

Yo te reto, a ti que piensas que la vida es monótona, a formar parte de ella.

Yo te reto, a ti que eres débil, a ser fuerte; a ti que eres opaco, a relucir; a ti que eres esclavo, a ser rey.

Yo te reto, quienquiera que seas, a compartir con otros los frutos de tu reto. Apasiónate por ayudar a otros y una vida de riqueza regresará a ti.

William H. Danforth

El amor al trabajo y una férrea voluntad para progresar son algunas de las virtudes que los padres nos brindan.

Roger Patrón Luján

La pequeña eternidad

Vivimos, amamos, comemos, trabajamos. ¿Por qué?

Goethe contestó: "Por el deseo de erguir, tan alta como sea posible, la pirámide de mi existencia, cuya base me ha sido dada".

Es cierto que la base nos es dada...

Si eres joven todavía, apenas estás comenzando a colocar los cimientos de la que será tu pirámide. Selecciona bien los objetivos de tus esfuerzos y, una vez hecha la selección, sé ardiente y constante.

Esta selección puede hacerse entre objetivos que otros creen indignos de ellos.

No importa, si estás enteramente detrás de su decisión.

André Maurois

Para cultivarse es necesario, además de leer mucho, hablar poco y escuchar menos.

Camilo Sada García

Llevar una vida amargada lo puede cualquiera, pero amargarse la vida a propósito es un arte que se aprende.

Paul Watzlawick

En la vida como en los juegos

Lo más importante

en los juegos olímpicos

no es ganar, sino participar;

lo mismo sucede en la vida...

lo más importante

no es el triunfo, sino la lucha,

lo esencial no es haber conquistado,

sino haber combatido bien.

Anónimo

El triunfo de hoy es la cosecha del esfuerzo de ayer.

Maratón de Boston, 100 aniversario

Cuando todo tiene precio, nada tiene valor.

Jacques Cousteau

El hijo ilegítimo

Ya el sol se había puesto entre el enredo del bosque, sobre el río. Los niños de la ermita habían vuelto con el ganado y, sentados al fuego estaban oyendo a su Maestro Gautama cuando llegó un niño desconocido y lo saludó con flores y frutos. Luego, tras una profunda reverencia, le dijo con voz de pájaro.

—Señor Gautama: vengo a que me guíes por el sendero de la Verdad. Me llamo Satyakama.

—Bendito seas —dijo el Maestro— ¿Y de qué casta eres, hijo mío? Porque sólo un bramín puede aspirar a la suprema sabiduría.

Contestó el niño:
—No sé de qué casta soy, Maestro, pero voy a preguntárselo a mi madre.

Se despidió Satyakama, cruzó el río por lo más estrecho y volvió a la choza de su madre, que estaba al final de un arenal, fuera de la aldea, ya dormida.

La lámpara iluminaba débilmente la puerta; la madre estaba fuera, de pie en la sombra, esperando la vuelta de su hijo.

Lo cogió contra su pecho, lo besó en la cabeza y le preguntó qué le había dicho el Maestro.

—¿Cómo se llama mi padre? —dijo el niño—. Porque me ha dicho el señor Gautama que sólo un bramín puede aspirar a la suprema sabiduría.

La mujer bajó los ojos y le habló dulcemente:

—Cuando joven, yo era pobre y conocí muchos amos.
Sólo puedo decirte que tú viniste a los brazos de tu madre Jabbala, que no tuvo marido.

Los primeros rayos del sol ardían en la copa de los árboles de la ermita del bosque. Los niños, aún mojado el revuelto pelo del baño de la mañana, estaban sentados ante su maestro bajo un árbol viejo.

Llegó Satyakama, le hizo una profunda reverencia al Maestro, y se quedó de pie en silencio.

—Dime —le preguntó el Maestro—, ¿sabes ya de qué casta eres?

—Señor —contestó Satyakama—, no sé. Mi madre me dijo: "Yo conocí muchos amos cuando joven, y tú viniste a los brazos de tu madre Jabbala, que no tuvo marido".

Entonces se levantó un rumor como el zumbido iracundo de las abejas hostigadas en su colmena. Y los estudiantes murmuraban entre dientes de la desvergonzada insolencia del niño sin padre.

Pero el Maestro Gautama se levantó, trajo al niño con su brazos hasta su pecho, y le dijo:

—Tú eres el mejor de todos los bramines, hijo mío, porque tienes la herencia más noble, que es la de la Verdad.

Rabindranath Tagore

Acércate a la vida como si fuese un banquete.

Epicteto

DECIDIR

Todo hombre debe decidir, una vez en su vida, si se lanza a triunfar arriesgándolo todo, o se sienta en su balcón tranquilamente a contemplar el desfile de los triunfadores.

Emerson

La educación más solida es la que hemos recibido como producto del ejemplo.

Roger Patrón Luján

La vida es continua encrucijada que exige decisiones sin descanso.

Hay que tener agilidad para pararse a tiempo y saltar, en punta la esperanza, pensando que es mejor ser río o ser torrente que no lago estancado que refleja paisajes, pero muere en soledad.

F. Martín Montoya

La más difícil de las profesiones es "ser hombre".

Mercedes Santacruz de Loperena

Norma de vida

Si haces el bien pensarán que es con fines egoístas;

¡no importa, haz el bien!

Si realizas tus objetivos encontrarás falsos amigos y verdaderos enemigos;

¡no importa, realízalos!

El bien que hagas, el día de mañana puede ser olvidado;

¡no importa, haz el bien!

La honestidad y la sinceridad te pueden hacer vulnerable;

¡no importa, sé franco y honesto!

Si logras *entender* a los demás antes de *juzgarlos*,
si logras *perdonar* al prójimo antes de *condenarlo*,
si logras *hacer el bien* a tu semejante sin esperar
recompensa alguna...

¡Entonces, y sólo entonces, serás un verdadero hombre!

Basílica de Sangiacomo, Roma

Los jóvenes no deben olvidar que el resto de su existencia dependerá de su actual educación.

Santos Vergara Badillo

¿Quién está educando a nuestros hijos?

Vale la pena preguntarse: ¿quién está educando a nuestros hijos, nosotros, la escuela o la televisión?

Según una encuesta realizada por el periódico *Reforma*, 24% de los mexicanos ve un promedio de 3 1/2 horas de televisión diariamente. Esto suma 1,277 horas al año y la cantidad puede ser mayor en los niños.

Sabiendo que un niño pasa 1,300 horas al año en la escuela, resulta sorprendente que pueda ocupar casi el mismo número de horas estudiando que viendo la televisión.

Video-Pauta

Cuando se presente una ventana de oportunidad, no bajes las cortinillas.

Tom Peters

El hombre vale tanto como su voluntad.

San Agustín

MÁXIMAS

Examina cada detalle de tu negocio o asunto.

Sé rápido en todas las cosas.

Toma tiempo para considerar y después decide de inmediato.

Sobrelleva los problemas pacientemente.

Sé valiente en la lucha por la vida.

Mantén tu integridad como una cosa sagrada.

Jamás digas mentiras en los negocios.

No hagas amistades sin ningún uso o inútiles.

Jamás trates de aparentar algo más de lo que eres.

Paga tus deudas con prontitud.

Huye del licor fuerte.

Emplea bien tu tiempo.

Sé cortés con todo el mundo.

Nunca estés deprimido.

No calcules las oportunidades.

Ve hacia adelante con audacia.

Trabaja duro,

¡y con certeza tendrás éxito!

Barón de Rothschild

El trabajo

Casi no hay cosa imposible para quien sabe trabajar y esperar.

Fenelón

¿Días de trabajo?

Todas las mañanas, al salir de casa a trabajar, me sentía como si estuviera de paseo porque, lo que para otros es trabajo, a mí me llenaba de gozo.

Yo no iba a ver a mis clientes, sino a servir a mis amigos.

Yo no les iba a vender, sino les servía, y todo esto me llenaba de gran satisfacción.

Hoy que ya estoy jubilado, revivo mis recuerdos y pienso que no fueron días de trabajo, sino:

¡Días de hacer lo que a mí me gustaba!

Raúl Patrón Arjona

¿Cansado de trabajar?

El año tiene 365 días de 24 horas, de las cuales 12 están dedicadas a la noche y hacen un total de 182 días.

Por lo tanto, sólo quedan 183 días hábiles.

Menos 52 domingos, quedan 121 días de trabajo, pero hay 52 sábados que no se trabaja, lo que da un total de 79 días.

Pero hay 4 horas diarias dedicadas a las comidas, y esto suma 60 días, lo que quiere decir que quedan 19 días dedicados al trabajo.

Pero como usted goza de 15 días de vacaciones, sólo le quedan 4 días para trabajar.

Menos aproximadamente 3 días de permiso que usted utiliza para hacer diligencias o por estar enfermo, sólo le queda un día para trabajar, pero ese día es precisamente el día del trabajo y, por lo tanto, no se trabaja por ser feriado; entonces

¿de qué se siente usted cansado?

Anónimo

El trabajo más productivo es el que sale de las manos de un hombre contento.

Victor Pauchet

SER LÍDER

El líder es...

Una persona que se considera un sujeto transformador de su entorno: se niega a ser objeto de las circunstancias.

Ha probado la libertad y ha aprendido a construir sus propios caminos.

Una guía que suma esfuerzos, que une voluntades, que genera riqueza y siembra caminos.

Aquel ser humano que vive el precepto bíblico de

"*hay más felicidad en dar que en recibir*".

Tiene la humildad y el gusto de pedir para otros.

Tiene la capacidad de hacer a un lado sus problemas personales para escuchar los problemas de los demás.

Un triunfador que no se olvida de sus raíces, por eso tiene la vocación de servir y entender a su prójimo.

Sabe que la vida sólo tiene sentido si hace del servicio a los demás un proyecto de vida.

Es fuerte como un roble, débil como un niño.

Hombre que tiene la capacidad de separar el sentimiento del intelecto, lo cual le permite ser un líder donde otros corren a cobijarse.

Anónimo

Llegar a ser el número uno

Ganar no es algo que se presenta algunas veces, es algo que sucede en todo tiempo. No se gana de vez en cuando, ni las cosas se hacen bien de vez en cuando sino en todo momento. Ganar es un hábito; desafortunadamente, también lo es perder.

Definitivamente no hay cabida para un segundo lugar.

Solamente existe un lugar en mi juego y ése es el primero. He finalizado dos veces en segundo lugar durante el tiempo que llevo en mi equipo y mi intención es jamás volver a terminar en esa posición.

Existe un partido para un segundo y tercer lugares, pero es un partido para perdedores, jugado por perdedores.

Es y siempre ha sido un objetivo de nuestro equipo ser primero en todo lo que hagamos y ganar, ganar y... ganar.

Siempre que un competidor entra en la cancha debe jugar como un todo, un todo que juegue desde los pies hasta la cabeza, cada centímetro, cada punto del organismo deberá jugar.

Algunos juegan con el cerebro, lo cual está muy bien porque eso los hace ser audaces e inteligentes para ser el número UNO en cualquier actividad. Aun es más importante jugar con todo el corazón, con cada fibra de nuestro cuerpo.

Si tenemos la suficiente capacidad para ser alguien con mucho cerebro y mucho corazón, entonces podremos tener la certeza de que nunca saldremos del campo de competencia en segundo lugar.

El manejo de un equipo no difiere del de cualquier otro tipo de organización —un ejército, un partido político, un negocio—, pues los principios son los mismos y el objetivo es ganar, vencer al otro. Tal vez esto parezca duro o cruel, pero yo no lo creo.

Es una realidad de la vida que por naturaleza los hombres son competitivos y que los juegos o partidos más difíciles atraen a las personas más combativas, por eso están allí:

¡para competir!

Conocen perfectamente las reglas y los objetivos cuando salen a jugar. La meta es ganar limpia, honesta y decentemente, de acuerdo con las reglas, pero ganar.

En verdad, nunca he conocido a un hombre que, con el tiempo, y muy dentro de su corazón, no apreciara el empuje y la disciplina. Existe algo en todo hombre que lo impulsa hacia la disciplina y a la cruda realidad del combate frente a frente.

No digo estas cosas porque crea en la naturaleza bruta del hombre o en que los hombres deban brutalizarse para ser combativos.

Yo creo en Dios y en la decencia humana, pero también creo firmemente que el mejor y mayor momento de cualquier hombre —su logro más grande y su mayor satisfacción— es aquel momento sublime en que, después de haber trabajado arduamente con todo su empuje, esfuerzo, dedicación y corazón en favor de una causa noble, se encuentra exhausto en el campo de batalla...

¡victorioso!

Vince Lombardi

El entusiasmo es un volcán en cuyo cráter no crece la hierba del titubeo.

Gibrán Jalil Gibrán

Sé triunfador

El triunfo no es una meta, sino el estado de aquel que busca hacer algo mejor cada día de su vida porque se encuentra insatisfecho; del que crea y a la vez emprende; del que no se queda inmóvil al borde del camino viendo pasar su vida como si fuera la de otro; del que ve en cada momento una oportunidad para aumentar la intensidad de su deseo de crecer y de darse a los demás.

Perdemos más tiempo justificándonos para no hacer algo que el que nos tomaría realmente poner manos a la obra. Frecuentemente decimos "no tengo tiempo", "ése no es mi problema", "no fue mi culpa" y llegamos a convencernos de que ésa es la realidad, y así acallamos nuestra conciencia y permanecemos tranquilos ante lo que no podemos lograr.

Explicamos el fracaso con infinidad de excusas.

El triunfo no requiere explicación; una persona triunfadora siempre ve una respuesta para cualquier problema y el necio siempre ve un problema como toda respuesta.

La voluntad se forja como el acero: a altas temperaturas, es decir: si cada día acumulamos más calor, siendo mejores que ayer, llegaremos a tener voluntad de acero...

No existen los fracasos ni los errores, porque los fracasos sumados uno a uno forman la "superación personal".

Reconocer que es propia la culpa es un paso para encontrar la forma de no volver a equivocarnos; así sabremos dónde estuvo el error sin engañarnos pensando tranquilamente que el error o la culpa fue de los demás.

¡Y así, reconociendo dónde estuvo el error, buscaremos el camino para enmendarlo!

María Teresa Contreras

El vendedor

Aquel que usa los pies es un atleta,
el que usa las manos es un artífice,
el que usa la boca es un orador,
el que usa el corazón es un artista,
el que usa la cabeza es un intelectual.

Pues aquel que usa los pies, las manos, la boca, el corazón
y la cabeza.

Ése... ¡es un vendedor!

Anónimo

Hay algo maravilloso acerca de las vacaciones: te hacen sentir lo suficientemente bien para volver al trabajo, y te dejan lo bastante pobre para tener que hacerlo.

James Nix

Entre más grandes sean las dificultades y penas impuestas por el deber, y entre más fielmente las afrontes, mayor será la alegría de haber vivido con dignidad y con buena conciencia.

Anónimo

PERDEDORES VS. GANADORES

El perdedor es siempre parte del problema,
el ganador es siempre parte de la solución.

El perdedor siempre tiene una excusa,
el ganador siempre tiene un programa.

El perdedor dice: "eso no es asunto mío",
el ganador dice: "permítame ayudarle".

El perdedor ve un problema en todas las respuestas,
el ganador ve una respuesta en todos los problemas.

El perdedor ve dos o tres obstáculos cerca de cada salida,
el ganador ve una salida en cada obstáculo.

El perdedor dice: "es posible, pero es muy difícil",
el ganador dice: "es difícil pero es posible".

¡Tú debes ser un ganador!

Katy Garza

Si no vas a pelear por tus derechos cuando puedes hacerlo, fácilmente sin derramar sangre; si no vas a pelear cuando tu victoria está asegurada y no es muy costosa, podría llegar el día en que tengas que pelear con todas las probabilidades de perder y solamente una leve esperanza de sobrevivir.

Winston Churchill

Relaciones en el trabajo

No critiques, ni condenes, ni te quejes.

Da aprecio honrado y sincero.

Sonríe.

Trata a los demás por su nombre.

Haz que los demás se sientan importantes.

Admite tus propias equivocaciones.

Sé sincero, auténtico.

Señala los errores en forma indirecta.

Haz preguntas en lugar de dar órdenes.

Trata de ver las cosas desde el punto de vista de la otra persona.

Proporciona trato de calidad más que de cantidad.

Dale Carnegie

Se te ha dicho que el trabajo es una maldición y la labor una desgracia. Pero yo te digo que, cuando trabajas, cumples con una parte del sueño más remoto de la tierra, el cual te fue asignado cuando ese sueño nació.

Gibrán Jalil Gibrán

Los mexicanos

Una nación madura y culta estimulará a los ancianos, pues sabe que ellos han sido siempre los maestros de la humanidad.

Emma Godoy

El tipo de mexicano que debemos preparar

Un mexicano en quien la enseñanza estimule armónicamente la diversidad de sus facultades: de comprensión, de sensibilidad, de carácter, de imaginación y de creación.

Un mexicano dispuesto a la prueba moral de la democracia, entendida como "un sistema de vida orientado constantemente al mejoramiento económico, social y cultural del pueblo".

Un mexicano interesado, ante todo, en el progreso de su país, apto para percibir sus necesidades y capaz de contribuir a satisfacerlas, merced al aprovechamiento intensivo, previsor y sensato de sus recursos.

Un mexicano resuelto a afianzar la independencia política y económica de la patria, no con meras afirmaciones verbales de patriotismo, sino con su trabajo, su energía, su competencia técnica, su espíritu de justicia y su ayuda cotidiana y honesta a la acción de sus compatriotas.

Un mexicano, en fin, que, fiel a las aspiraciones y a los designios de su país, sepa ofrecer un concurso auténtico a la obra colectiva —de paz para todos y de libertad para cada uno— que incumbe a la humanidad entera, lo mismo en el seno de la familia, de la ciudad y de la nación, que en el plano de una convivencia internacional digna de asegurar la igualdad de derechos de todos los hombres.

Jaime Torres Bodet

MI MUY QUERIDO Y ESTIMADO MÉXICO

Fíjate que ayer fue un día diferente, un día que marcó un rumbo distinto del que me había planteado hasta la noche anterior. ¿Qué fue lo que pasó?

Recuerdo que, a diferencia de otros sábados, me levanté a las seis y media, no podía continuar durmiendo.

Fui directamente al espejo del tocador de mi recámara donde están colocadas algunas fotos de mi infancia; al verme, al verlas en un mismo tiempo no supe si aquel que se proyectaba en la superficie de vidrio pulido que estaba enfrente de mí era el mismo niño de la foto que sonreía en la Alameda de la Ciudad de México.

Efectivamente no era el mismo. Ese chamaco vivió en los años treinta y cuarenta, cuando estabas definiendo tu estructura como nación moderna. Ya para ese entonces sólo era un recuerdo la época negra de las confrontaciones que papá rememoraba como estampas que describían su infancia.

Al igual que yo, tú estabas en una disyuntiva: ser rural o ser urbano; yo no sabía si estudiar o trabajar. Tan sólo tenía siete años, tan sólo habían transcurrido 23 años de haberse terminado el movimiento revolucionario en ti, mi México querido; y ambos teníamos la obligación de crecer, de consolidarnos, de ser fuertes y grandes.

Es curioso, sólo puedo recordar mi vida como una película donde aparecen como escenas las imágenes de mi país, tus imágenes, con mi mente camino de la mano de un pasado hermoso que parece remoto, pero que fue el que dio sentido, el que me construyó...

Somos, mi querido México, más que la elaboración de indicadores económicos. Somos una conjunción de historia, presente, desarrollo y crisis, y futuro de retos y bienestar.

Somos la construcción de sendas, veredas y caminos que al edificarse guardan un estilo especial, diría personal, en la forma y contenido de hacer las cosas...

Pareciera que lo negro, lo sombrío, se había metido en mis huesos, parecía que tú y yo estuviéramos en una fotografía típica del impresionismo alemán: grises, negros, blancos...

Pero ahora me doy cuenta de que ello sólo era una percepción equivocada; sé que si bien hay grises, negros y blancos, la vida no tiene sólo ese cristal para verla y vivirla, también tiene coloraciones que rompen con esos tonos, entre ellos el dorado que nos muestra el rumbo hacia la luz, la tranquilidad y ¿por qué no? también hacia la felicidad.

Antonio Martínez Rebollar

Detén tu andar y pregúntate si ésta es la patria que anhelas.

Roger Patrón Luján

Por México

Por México me encuentro aquí y ahora. Firmes los pies sobre esta tierra donde viviré un futuro que de mí depende. Por él me nombro portavoz de una gran nación de siglos y hablo ahora para que siga siendo patria de hombres y mujeres que, en vez de envejecer se hacen más grandes con el tiempo.

Por México decido hoy ser actor y no testigo de los cambios, me hago responsable de mis actos hacia aquellos con quienes comparto el pasado, el presente y el futuro de mi raza.

Por él no hay marcha atrás que valga. Por él emprendo hoy la construcción de mi destino y, al hacerlo, me nombro crítico y guardián de los cimientos que levanto.

Por México me comprometo hoy conmigo mismo porque soy parte de esta tierra, tanto como esta tierra es parte mía.

Por él empeño hoy mi palabra, defiendo ahora y siempre con firmeza lo que pienso, porque sólo los individuos y el país que piensan firmes merecen un futuro cierto.

Miriam Egurrola

Ninguna vida transcurre sin que contribuya al legado común.

Anónimo

Saber

El hombre que sabe mucho
siempre está pidiendo información.

El hombre que sabe poco,
algunas veces pide información.

El hombre que nada sabe,
nunca pide información.

Anónimo

Trabajar es estar activo, es participar, es dar.

Anónimo

Lo más valioso de mi patria es su gente.

Roger Patrón Luján

AHORA

Ahora es el momento de hacer lo que más quieres.
No esperes al lunes, ni esperes a mañana.
Que no aumente ante ti la caravana de sueños pisoteados.
Ya no esperes.

No reprimas por miedo o cobardía.
No postergues la vida con más muerte,
y no esperes más nada de la suerte
que no hay más que tu tesón y tu energía.

Si tu sueño es hermoso, dale forma
como esculpe el arroyo la ribera;
como el viento que vive y se transforma.

Y para que todo resulte a tu manera,
redacta para ti mismo tu norma
y convierte tu otoño en primavera.

E. J. Malinowski

Los que verdaderamente viven son los que luchan.

Víctor Hugo

No importa quién sea...

No importa cuál sea tu elección, nuestro deber es votar.

Si tienes dudas: investiga, pregunta, cuestiona.

Pero, llegado el día, ¡acude a votar!, ¡participa!

Y sin importar quiénes sean los ganadores, ¡apóyalos!,
pues el país lo construimos todos.

Sólo así podrás exigirles que cumplan con sus propuestas y,
si no satisfacen tus expectativas, busca una opción diferente
en las próximas elecciones.

¡Es nuestro deber de mexicanos y de patriotas!

Roger Patrón Luján

El verdadero pesimista es la persona que ha perdido el interés por todo.

William Lyon Phelps

Es muy agradable ser importante, pero es más importante ser agradable.

Anónimo

LA COMUNICACIÓN CON DIOS

Para creer es preciso querer creer.

Silvio Pellico

¡Es maravilloso Dios!

Mis brazos perfectos, cuando hay tantos mutilados.

Mis ojos perfectos, cuando hay tantos que no tienen luz.

Mi voz canta, cuando otras enmudecen.

Mis manos trabajan, cuando hay tantas que mendigan.

¡Es maravilloso Dios!

Volver a casa, cuando hay tantos que no tienen dónde ir.

Sonreír, amar, soñar, vivir, cuando hay tantos que lloran, odian y mueren sin vivir.

¡Es maravilloso Dios!

Tener un Dios en quien creer, cuando hay tantos que no tienen el bálsamo de una creencia.

Finalmente, ¡es maravilloso Dios!

¡Tener tan poco que pedir... y tanto que agradecer!

Emma Casas

El hombre en armonía

Dichoso aquel que después de un día de trabajo arduo encuentra la paz interna, esa paz que es la más grande victoria que el hombre puede alcanzar.

La alegría brota de aquellos que viven en calma, como la gaviota que vuela gozosa a pesar del mar turbulento y furioso.

Nadie puede saborear lo agradable de la salud si no ha sufrido la cruel enfermedad, ni gozar de la calma si no ha estado enmedio de la tormenta.

Para poder alcanzar la paz hay que pasar primero por la guerra.

Para poner paz entre los demás, necesitamos primero tenerla dentro de nosotros.

Si deseamos vivir en armonía, seamos considerados con los demás, no hiriéndolos con nuestras palabras y acciones.

El hombre bueno y pacífico encuentra siempre algo de valor en los hombres.

La calma, el sosiego y la tranquilidad reinan en las almas que se regocijan al servir a los demás.

Jesús Miguel Moreno

Fe es la vela de la que nace la luz que brilla en toda oscuridad.

Anónimo

Un Dios que ama

¡Creo en Dios! Creo en Dios
tal y como se revela ante nosotros
tal y como lo descubro en el amor-ágape...

Un Dios que ama
a los enfermos, a los descarriados,
a los incrédulos, a los arrepentidos,
a los ladrones, a las prostitutas,
a las adúlteras, a los pobres,
a los humildes, a los pecadores,
a los prisioneros, a los niños,
a los peregrinos, a los exiliados.

El Dios que dice:
"*Quien esté libre de pecado, que arroje la primera piedra*" y
"*Ámense los unos a los otros como Yo los he amado.*"

Irene Fohri

Sólo somos una gota de agua en el mar.

Madre Teresa de Calcuta

SEÑOR

Integra en mí un ser humano completo, decidido a desarrollar las capacidades con que me has dotado.

Que sepa amarte sobre todas las cosas y dar testimonio de ti dondequiera que vaya.

Ayúdame a obrar siempre el bien en la libertad y la alegría de vivir.

Enséñame a crear y apreciar la belleza.

Dame tu espíritu para hacer rendir mi entendimiento al servicio de los demás en la justicia, la paz y la amistad.

Enséñame a dar y recibir amor.

Que sepa aprovechar mi salud y mi fuerza para multiplicar los bienes de tu creación y así ayudarte a completar un mucho mejor mundo para todos.

Si tú, con tu ejemplo, me invitas a caminar siempre hacia lo alto, ayúdame a llegar.

Anónimo

El jardín de Dios debe ser hermoso, sólo tiene lo mejor.

Anónimo

Con fe en Dios

No debemos creer que nosotros,
por nosotros mismos, podemos hacer y rehacer
nuestra propia vida.

Depositemos nuestra fe suavemente
en las manos extendidas de Dios...

Porque con sus manos hemos sido creados
y de sus manos es como obtendremos
nuestra salud, bienestar, dicha y paz.

Stefano Tanasescu Morelli

Señor, ¿qué traerá el día que empieza?
¡Lo que tú quieras, Señor!

Que siempre tenga el corazón alerta, el oído atento, las manos y la mente activas, el pie dispuesto; ¡que sea yo grande en lo pequeño!
¡Lo que tú quieras, Señor!

Pero te pido fe, para mirarte en todo; esperanza, para no desfallecer; caridad en todo lo que haga, piense y quiera.

Dame, Señor, lo que Tú sabes que me conviene y no sé pedir.

Anónimo

La voz de una tumba olvidada

Cuando se embriagaba el maestro de la escuela solía decir que no hay alma ni Dios, y que todo termina con la muerte.

Pero yo desde entonces ya sabía que eso no es cierto.

Yo, que nunca aprendí a leer, sé que hay cosas que no se ven y sin embargo existen.

Se puede ver el grano de trigo, pero no ves el alma que trae dentro hasta que lo sepultas en la tierra y el grano muere, y de él sale la planta: las hojas verdes, el tallo, la colmada espiga.

Cuando la muerte me llegó presentí que algo no moriría en mí.

Ahora sé que bajé a la tierra, como el grano de trigo, y que la muerte liberó una vida que llevaba en mí sin conocerla, del mismo modo que el grano de trigo no conoce la espiga que va en él.

¡Sólo quien no ha visto un grano de trigo puede creer que la vida termina con la muerte...!

Armando Fuentes Aguirre

¿Cómo puede sentirse desgraciado el hombre teniendo por casa el mundo, por hermanos a la humanidad, y por padre a Dios?

Pedro Cruz López

DETERMINACIÓN

Que Dios te conceda suficiente:

Felicidad para que te mantenga alegre;
pruebas para que te mantengan fuerte;
tristezas para que te mantengan humano;
esperanza para que te mantenga feliz.

Fracasos para que te mantengan humilde;
éxito para que te mantenga alerta;
amigos para que te brinden consuelo;
riqueza para tus necesidades.

Entusiasmo para desear seguir adelante;
fe que destruya tu abatimiento y
determinación para ser cada día mucho mejor.

Anónimo

Bendigo al Señor que me aconseja; aun de noche mi conciencia me instruye; lo pongo ante mí sin cesar; porque Él está en mi diestra, no vacilo.

Me enseñarás el camino de la vida.

Salmos

De mí depende

De mí dependen tantas cosas, y a veces no me doy cuenta de ello.

Pienso que las personas son culpables de mis problemas y que las circunstancias me son siempre adversas.

Sin embargo, de mí depende:

la armonía de mi familia,
que las pláticas no sean críticas,
que la vida de otros tenga sentido,
que quienes me rodean sean menos tristes,
que se juzgue menos a la iglesia,
que otros amen a Dios,
que los demás sean generosos,
que haya simpatía,
hacer accesibles las cosas del alma.

Te pido, Dios, que me percate de que, con mi conducta dulce y más llevadera, todo puede lograrse.

Anónimo

Una oración purifica el alma y nos invita a levantar la vista de la vereda cubierta por el polvo de los siglos para posarla en la cumbre de Dios.

Anónimo

Una plegaria

Señor,
que en todas partes del mundo,
en cada corazón, en cada hogar,
en cada familia se eleve esta
Navidad una plegaria.

Que aprendamos a convivir
hermanados por la comprensión,
la fe y el amor, para que la paz ,
la felicidad y la armonía reinen
en el universo eternamente.

Anónimo

La edad sabrá hablar, los muchos años darán sabiduría.

Job

La madurez

Todos querrían vivir mucho tiempo, pero nadie querría ser viejo.

Jonathan Swift

Doña Ramona

Para cuando canta el gallo, sus pies ya han sentido la aspereza del piso tibio de su choza. Antes de clarecer, sus oídos han disfrutado ya del parloteo gracioso de los pájaros, del rebuznar del asno y el balitar de los demás animales.

Vive sola y, sin embargo, cada mañana, muy temprano, prende con esmero el carbón y echa tortillas como para un ejército.

Le gusta el olor del humear del carbón y de las varas secas, pues todo ello le evoca su pasado: se ve a sí misma siendo aún una niña, de pie tras su madre, quien remueve unas brasas y cocina.

Mientras disfruta un rato del ruido que hacen las varas al chasquear, toma su café bien caliente y escalda por costumbre su lengua sin que ésta siquiera se percate. Luego se entrega a sus tareas con el afán que tiene una muchacha o, mejor dicho, un padre que tiene que mantener a seis.

Así es doña Ramona: muy activa y alegre; morena, fuerte. Un trozo de canela que huele siempre a limpio, una viejita dulce a quien da gusto besar en la frente y oler de paso el perfumado aroma a limpio de su trenza.

De pronto se le ve sonreír mientras lava o cocina o mientras lentamente desciende por la loma. Luce feliz, con tan sólo escuchar el trinar del jilguero. Uno piensa que el pasto le cosquillea en su piel recia y descalza, cuando va por ahí, alegre, cuidando de las ovejas a sus ochenta años.

Y no falta quien, al mirarla así, de pastora, se asombre y entristezca de pensar que, a su edad, sigue trabajando. El que no la conoce no sabe que su vida es trabajo. Que, como dice ella:

¡el trabajo ahuyenta a la muerte!

Anécdota relatada por Federico Gutiérrez y escrita por Patricia Sánchez Celaya

Día 365

Diciembre es igual que las últimas horas del día, como apesadumbrado, como siempre de tarde, ya casi de noche, cuando la tierra huele aunque no haya llovido.

En diciembre nos mueve y nos inspira el porvenir; pareciera que las fiestas son más bien de bienvenida que de despedida, nos renovamos un poco antes de ser nuevos y esto invita al perdón expiando nuestras propias culpas.

Diciembre es como el último trago de agua, quita la sed pero nos obliga a dejar el vaso, nos va dejando día a día una sensación confusa de satisfacción y, al mismo tiempo, nos sentimos inconformes, nos regocija al tiempo que nos atemoriza.

Está ahí cada año esperando paciente y sigiloso su turno. Como ningún otro mes, nos hace contar sus días uno a uno, como quien pasa por una escalera y con la mano va rozando los barrotes del barandal.

Se le representa como un viejo cansado, pero estoy seguro de que es un hombre maduro, sabio y feliz que goza sus instantes y suelta a diestra y siniestra cuestionamientos por doquier:

¿Quién es?, ¿cómo?, ¿para qué?, ¿cuándo?

En fin, que se divierte confundiendo y mostrando el camino a cada quien.

Es el mes de las dispensas, de las disculpas, de la reconciliación.

Parece que se termina la vida y debemos darnos cuentas claras que nos permitan tener el derecho de estrenar un año nuevo, y es que así se le llama al año siguiente, nuevo, porque eso queremos que sea, una alternativa más, una etapa más, lista y dispuesta como una hoja en blanco, sin memoria.

Y allá van los propósitos en tropel, cruzándose unos a otros como restándole importancia al vecino. Pareciera que son deseos y no sabemos cuál es el más importante, a cual debemos mencionar primero.

Diciembre tiene la memoria, lo limpio, lo bueno y lo tranquilo, y es como una purga de las malas rachas, no tiene el valor de la esperanza sino la certeza de su arribo.

¡Diciembre es como la lluvia, siempre bien recibida aunque nos moje y haga frío!

Sergio García López

Representa un gran placer conversar con las personas de edad. Ellas han recorrido el camino que todos debemos seguir y saben dónde éste es áspero y difícil, y dónde es llano y fácil.

Platón

Sólo el presente existe, porque el futuro se convierte en pasado.

Michael Ende

Senescencia...

¡Qué infortunio para quienes no comprenden lo que declinar significa! Cuando el sol declina, arroba y emociona.

Sus matices indescriptibles comunican asombro, belleza, serenidad, alegría, enfermedad, paz. Jamás en nadie, nunca, lástima inspira.

La más grande desgracia que nos puede suceder cuando envejecemos no es morir, es dar lástima.

Si quienes ya iniciamos la sexta década de la vida tan sólo suponemos que damos lástima, es que perdimos lo que jamás deberíamos de haber perdido: la dignidad de declinar como seres cósmicos.

Cuando se envejece con honor, se inspira admiración, respeto, jerarquía. Cuando se envejece con dignidad, se refleja sabiduría, experiencia, seguridad.

¡Sólo así se envejece con señorío!
¡Sólo así se envejece con grandeza!

Para lograrlo, es suficiente seguir el código que te propongo, código que en tu mente puede nacer o morir, hoy para siempre:

Seré justo,
no diré mentiras,
no robaré,
no estaré ocioso.

Rigoberto Ortega G.

Aunque te vayas

Abuela: acabo de escuchar que te marcharás pronto.

Sentí un golpe en la frente y también un peñasco en la garganta. Sentí desvanecerme, morirme y quise irme contigo, acompañarte: ¡Todo acabó!, pensé.

En un instante, mi mente recorrió mil imágenes de ti y de mí juntas, compartiendo muchos momentos únicos, tan hermosos.

Entoncés, abuelita, lloré. Lloré mucho, tanto, que sé que Dios, al ver que mi dolor era tan grande, se compadeció de mí y, queriendo consolarme, me habló.

¿Sabes una cosa, abuelita? Él no pronunció un discurso, ni me dijo cientos de palabras de aliento. Sólo me aseguró, con su mirada tan llena de ternura, ¡que vivirás!

Tocó mi corazón, fue suficiente: sentí en ese momento una infinita paz. Cuando eso sucedió, supe que estarás muy bien, aunque tu enfermedad te impida permanecer más con nosotros...

Supe también que, de seguro, continuarás cuidándome, como cuando era niña.

Abuela, ya no pienso que todo acabó. Ahora sé que Dios guarda un lugar muy especial para ti: porque nunca dejaste de ser niña, al mismo tiempo que mujer, esposa, madre... y abuela, una de las mejores abuelas.

Por eso es que tu ejemplo es, desde hace tiempo, mi camino.

Y por eso, abuelita, si Él te llama, si acudes a su encuentro, y te vas... lloraré y te extrañaré. Pero además, querida abuela, ten la certeza de que, aunque te vayas, te quedarás como una hermosa huella en mí, y en el corazón de todos y cada uno de los que te amamos.

Patricia Sánchez Celaya

La culminación

Saber envejecer representa la culminación y obra maestra de la sabiduría, y no sólo uno de los capítulos de la vida.

La edad otorga cordura, sabiduría, dignidad y estabilidad económica, pero nada de esto trasciende si no se aplica en beneficio de los demás:

La cordura con el ejemplo;
la sabiduría para inspirar a los demás;
la dignidad para motivar a generaciones venideras;
la estabilidad económica para sacar a los desvalidos de
la desesperación.

Todo lo anterior ejercido con humildad, tolerancia y bondad.

Y así el hombre, al envejecer, tendrá la belleza de las hojas del árbol a punto de caer, llenas de color y de luz.

Francisco Salinas

No olvidemos lo que significa la juventud.

En la juventud es perdido el día en que no se descubre un nuevo horizonte.
Es perdido el día en que no se anhela un mundo nuevo.

Luis de Zulueta

Mi vida aún no termina

Creí que el final de mi vida había llegado,
ya no veía luz alguna al final del camino y
al mirar a mi alrededor todo era tenue y sin intensidad
como si de pronto todo hubiese acabado,
como si fuera el instante preciso para partir,
de terminar, de refugiarse, de aislarse o morir.

Mas descubrí que mi vida aún no termina.

Que detrás de esa nebulosidad, de ese aparente final,
yacía radiante un nuevo día, un amanecer intenso
que me dio la bienvenida a una nueva vida.

A la vida que me acerca al origen y manantial
de todo lo que es amor, esperanza, fe y vida.
A la vida que Él tiene designada para mí y
no a aquella que yo intenté vivir.

Irene Fohri

Se necesitan dos años para aprender a hablar y sesenta para aprender a callar.

Ernest Hemingway

EPITAFIO

Imagínate que éste es el último día de tu vida y tienes la oportunidad de elegir tu propio epitafio.

Algunos que no te recomiendo:

> Fue como los demás querían que fuera.
> Iba a ser feliz algún día.
> Se preocupó demasiado por cosas que ahora ya no importan.
> Nunca disfrutó del presente.
> No pudo ser él mismo.
> No hizo nunca nada por él mismo ni por nadie.
> Sufría por cualquier insignificancia.
> Le dio pena hasta cuando se murió.

¿Qué harías si éste fuera el último día de tu vida?

Algunos dirán:

> Abrazar, besar y darle todo mi amor a mis seres queridos.
> Hacer las paces con todo el mundo.
> Hacer lo que tanto he deseado y no me atrevía.
> Divertirme al máximo.
> Ir a mi lugar predilecto.
> Estar con mi persona preferida.
> Declararle mi amor a esa persona especial.
> Decirle a todos lo que me gusta de ellos.

¡Seguro que aprovecharías tu tiempo al máximo!

No lo perderías en discusiones tontas, no te preocuparías por nada, serías tú mismo, pedirías perdón por tus faltas y pondrías más atención en los detalles, que son los que hacen la vida.

¿Vas a esperar tu último día para hacer todo esto, o vas a ser feliz hoy?

El miedo a morir viene de no haber tenido suficientes momentos felices, de no disfrutar lo que haces, de no haber hecho lo que quieres hacer.

Olvídate ya del miedo, de la vergüenza, de los traumas, del rencor, de sentirte culpable, de buscar problemas, de dejar las cosas para después, de no disfrutar el momento.

Vive como si éste fuera en realidad el último día de tu vida.

Hoy tiene que ser un día feliz, un día lleno de cariño, de besos, de cosas agradables y de momentos alegres.

Si lo haces así, tu epitafio no puede ser otro más que éste:

> *Aquí yace alguien que disfrutó de la vida al máximo,*
> *optó siempre por ser feliz hasta en las situaciones difíciles,*
> *ayudó a muchos a ser felices, nunca se rindió y supo aprovechar*
> *la oportunidad de ser él mismo.*

Anónimo

Los viejos siempre tienen que aprender algo de los jóvenes... los jóvenes siempre tienen algo que aprender de los viejos.

Carlos Loperena Santacruz

Aprendiendo a envejecer

Al despertar, una oración a Dios, dando gracias y pidiendo paz, salud y fortaleza.

Cuidarás tu presentación todos los días. Vístete bien, arréglate como si fueras a una fiesta.

No te encerrarás en tu casa ni en tu habitación. Nada de jugar al enclaustrado ni al preso voluntario.

Harás ejercicio físico o caminata fuera de casa, un rato de gimnasia o una caminata razonable.

Evitarás actitudes y gestos de viejo derrumbado como la cabeza gacha, la espalda encorvada, los pies arrastrados.

No hablarás de tu vejez ni te quejarás de tus achaques porque acabarás por creerte más viejo y más enfermo.

Tratarás de ser útil a ti mismo y a los demás. No eres un parásito, ni una rama desgajada voluntariamente de la vida.

No pensarás que todo tiempo pasado fue mejor.

¡Deja de estar condenando a tu mundo y maldiciendo tu momento!

Anónimo

La madurez no se da con los años sino con los kilómetros recorridos.

Diamandula Torres

El día de hoy...

Evitaré quejarme por mis problemas y haré un recuento de todo lo bueno que he recibido de la vida.

Expresaré con sinceridad mis sentimientos a los miembros de mi familia y a mis amistades.

Seré ecuánime, dominaré mis impulsos y no permitiré que la ira se apodere de mi mente.

Prestaré genuina atención a todos los que hablen conmigo y resistiré el impulso de dominar la conversación.

No trataré de salirme con la mía y daré a los demás la oportunidad de expresarse libremente.

Seré auténtico y no me esconderé tras las máscaras que ocultan mi verdadera personalidad.

Seré congruente, haré que coincidan mis palabras con mis actos.

Me respetaré a mí mismo y disciplinaré lo que esté fuera de control en mí.

Estaré alerta para aprovechar las oportunidades que la vida me presente.

Intentaré ver las cualidades de las demás personas y me olvidaré de sus defectos.

Aceptaré con humildad mis virtudes y cualidades reconociendo que soy perfectible.

Luis Castañeda

La madurez

Amamos las catedrales antiguas, los muebles antiguos,
las monedas antiguas, los viejos diccionarios e impresiones, pero
nos hemos olvidado por completo de la belleza de los ancianos.

Pienso que una apreciación de ese tipo de belleza es
esencial para nuestra existencia, pues me parece que
la belleza es lo que está viejo, maduro y bien ahumado.

Lin Yu-Tang

Cuanto más envejecemos, más necesitamos estar ocupados.

Es preferible morir antes que arrastrar ociosamente una vejez insípida:
¡trabajar es vivir!

Voltaire

Un día más de plazo

Hoy, en el punto final de mi vida, antes de perderme para siempre en el ocaso, te pido, Dios, un día más de plazo. No quiero mucho, sólo te pido un día para saldar cuentas pendientes, aquellas de mayor valía cómo...

Decirle a mi mujer cuánto la amo, besarla sin recato y tomarla de la mano; abrazar a mis hijos y escuchar sus reclamos, resolver sus conflictos, en fin, acariciarlos.

Encarar a mis padres sin temor ni vergüenza, agradecerles la vida, la educación, la comida, pero también reclamarles algunas injusticias.

Quiero unir de nueva cuenta a mis hermanos y, sin egoísmos tontos, volver a echarnos la mano; escuchar la voz de mis amigos compartiendo sus triunfos, pero también sus fracasos.

Dios, sé que el plazo que te pido es corto, que un día no bastaría para saldar mis deudas.

De cualquier modo, concédeme Dios un día más de plazo para irme más tranquilo y despedirme en paz.

Gabriel Gamar

Los viejos tenemos dentro del pecho corazón de niño.

Pío Baroja

Al final...

Toda luna, todo año,
todo día, todo viento,
camina y pasa también.

También toda sangre llega
al lugar de su quietud.

Chilam Balam

Índice de autores

D

E

F

G

N

O

P

R

S

T

V

W

Calidad Total

Apreciable lector: este libro ha sido elaborado conforme a las más estrictas normas de calidad. Sin embargo, pudiera ser que algún ejemplar resultara defectuoso. Si eso ocurriera le rogamos comunicarse con nosotros para reponérselo inmediatamente.

EDAMEX es una empresa mexicana comprometida con el público lector hispanoparlante, que tiene derecho a exigir de las industrias editoras una calidad total.

Libros* para ser más *libres